Internet

ARNAUD DUFOUR

Assistant à l'Ecole des Hautes Etudes Commerciales
de l'Université de Lausanne
Diplômé postgrade en Informatique et Organisation
Licencié en Sciences Economiques

Deuxième édition corrigée

10e mille

DU MEME AUTEUR

En collaboration avec Solange Ghernaouti-Hélie, « Réseaux locaux et Téléphonie. Technologies, Maîtrise et Intégration », Collection « Systèmes distribués », Masson, 1995.

REMERCIEMENTS

L'auteur tient à exprimer sa gratitude envers les personnes qui ont bien voulu relire cet ouvrage et lui apporter de nombreuses corrections, notamment Mme le professeur Solange Ghernaouti-Hélie, Michael Bloch, Maia Wentland-Forte, Stefano Larghi et Tanguy Dufour. Par ailleurs, ce livre est dédié à mon épouse Véronique, en remerciement pour ses nombreuses relectures et encouragements.

AVERTISSEMENT

L'ouvrage contient de nombreuses références à des ressources disponibles en ligne sur le réseau Internet. L'exactitude de ces références a été vérifiée et des efforts ont été faits pour donner des références stables. Il nous est néanmoins impossible de garantir que certaines ne seront pas modifiées. Dans cette hypothèse, nous encourageons le lecteur à utiliser un des systèmes de recherche d'information accessible via le *world-wide web* (voir page 74).

Toutes les marques citées dans cet ouvrage sont des marques déposées par leurs propriétaires respectifs. Les produits cités le sont à titre d'exemple et ne constituent nullement des recommandations de l'auteur, ni un quelconque engagement pour les sociétés citées.

ISBN 2 13 047469 1

Dépôt légal — 1re édition : 1995
2e édition corrigée : 1996, février

AVANT-PROPOS

« Réseau des réseaux », « *cyberespace** », « toile d'araignée électronique », « espace virtuel », les termes ne manquent pas pour tenter de désigner le phénomène *Internet*. Si les dénominations varient, tous s'accordent à dire qu'Internet est une révolution aussi importante que l'imprimerie, le téléphone ou la télévision. Récemment sorti du monde universitaire et très médiatisé, Internet déchaîne les passions. Nul ne peut aujourd'hui l'ignorer.

L'objet de cet ouvrage est de présenter le réseau Internet de la façon la plus objective et accessible possible. Après avoir posé les concepts de base, nous présenterons l'histoire et l'évolution d'Internet, les services qu'il offre, et les enjeux économiques et sociaux qu'il sous-tend. Nous aborderons les outils et techniques qui constituent Internet en donnant les clés qui permettent de les comprendre, en définissant le vocabulaire de base d'Internet, afin que le lecteur puisse se familiariser avec le dialecte[1] utilisé par les « *internautes** ». L'objectif n'est pas de couvrir en détail tous les aspects techniques du réseau, mais de sensibiliser le lecteur au vaste monde virtuel qu'est Internet. Différents points de vue seront analysés, notamment ceux des utilisateurs de services (entreprises, particuliers, étudiants, informaticiens, etc.) et ceux des fournisseurs de services (entreprises, administrations, écoles, universités, etc.).

Le lecteur pourra approfondir son étude d'Internet grâce aux nombreuses références citées et à la bibliographie[2].

Arnaud.Dufour@pobox.com

1. Les termes suivis du symbole* sont expliqués dans le lexique (page 117).
2. Les références entre crochets [xx] renvoient à la bibliographie (page 125).

Chapitre I

INTRODUCTION

Internet est le plus important réseau informatique mondial. Avant de découvrir les applications qu'il supporte et les enjeux qui lui sont liés, nous allons poser les concepts de base qui le sous-tendent.

I. — Qu'est-ce qu'un réseau ?

Un réseau, dans l'acception informatique du terme, est un ensemble de matériels informatiques interconnectés. On distingue les réseaux locaux[1] (LAN*, *Local Area Networks*), des réseaux grande distance (WAN*, *Wide Area Networks*)[2]. L'étendue du réseau local est limitée à quelques kilomètres, alors que le réseau grande distance peut s'étendre sur des centaines, voire des milliers de kilomètres. Internet est un réseau grande distance de couverture mondiale.

Les réseaux comportent une partie matérielle (ordinateurs, terminaux, cartes d'interface réseau, câbles, etc.), une partie logicielle (applications, programmes de gestion du réseau, systèmes de sécurité, etc.) et une composante « humaine », constituée d'une part des techniciens et des gestionnaires chargés de la mise en œuvre du réseau, d'autre part des clients du réseau, c'est-à-dire des utilisateurs bénéficiaires des services offerts par le réseau. Les trois compo-

---

1. Pour une introduction aux réseaux locaux voir [10].
2. On évoque parfois un niveau intermédiaire, les réseaux métropolitains (MAN, *Metropolitan Area Networks*), dont l'étendue couvre quelques dizaines de kilomètres.

santes matériel-logiciel-« humain »[1] sont à la base de toute question télématique.

II. — **Composantes matérielles**

1. **Des nœuds et des liens.** — La partie matérielle d'un réseau regroupe les éléments physiques qui le constituent. On sépare les nœuds du réseau (ordinateurs, passerelles✦, routeurs✦, etc.) des liens qui connectent ces nœuds (lignes téléphoniques, câbles, fibres optiques, etc.). Le réseau Internet comporte plusieurs millions de nœuds techniquement très divers (systèmes de toute marque, type et puissance).

Parmi les nœuds du réseau, l'on peut distinguer ceux qui servent exclusivement à véhiculer des informations. Ces relais du trafic réseau sont en général des équipements dédiés à la tâche d'acheminement. Les commutateurs✦, les routeurs✦ et les passerelles✦ sont à classer dans cette catégorie. Le reste des nœuds comprend les ordinateurs qui exécutent des applications informatiques. Ceux-ci sont dénommés *hosts* (ordinateurs hôtes), puisqu'ils hébergent des logiciels applicatifs.

A) *Des clients et des serveurs.* — On distingue les machines serveurs (*servers*) des machines clientes (*clients*). Les serveurs sont les ordinateurs qui offrent des services, alors que les clients sont ceux qui les utilisent. Un ordinateur peut être à la fois serveur pour certains services et client pour d'autres. Ce mode de fonctionnement qui dissocie les fournisseurs des utilisateurs de service est communément appelé « client-serveur ».

B) *Caractéristiques des liens.* — Les nœuds du réseau Internet sont interconnectés par une très grande variété de liens (câbles téléphoniques, fibres optiques,

---

1. En anglais, *hardware-software-manware* (on rencontre aussi parfois le terme *peopleware*).

ondes radio, liaisons satellites ou lignes sous-marines). La diversité des liaisons utilisées pour véhiculer les informations sur Internet est totalement *transparente*, c'est-à-dire imperceptible, pour l'utilisateur. La transparence est telle que l'on ignore généralement par quels supports et par où passent réellement les informations que l'on reçoit ou que l'on envoie. De même, lorsque l'on utilise certains services, il est courant de « parcourir » la planète sans en avoir réellement conscience. Internet, comme tout réseau de télécommunication, abolit les distances géographiques.

Les lignes de transmission sont caractérisées par la quantité d'informations qu'elles peuvent véhiculer par unité de temps (notion de *débit*[1]). Les débits atteints aujourd'hui par les réseaux Internet nationaux ou internationaux dépassent rarement 2 Mbit/s[2] et de nombreux tronçons du réseau sont encore constitués de lignes beaucoup moins rapides (9,6 kbit/s ou 64 kbit/s). La croissance d'Internet s'accompagne d'une augmentation massive de la demande de bande passante♦, par rapport à laquelle l'accroissement de la capacité de transport d'information du réseau est insuffisant. Pour les utilisateurs, cela se traduit par une baisse de performance des transmissions.

Les lignes sont également classées suivant la façon dont elles véhiculent les informations. Les ordinateurs traitent l'information sous forme digitale, codée en binaire♦. Les lignes téléphoniques ont été conçues pour véhiculer de la voix sous la forme d'un signal analogique♦ (onde sinusoïdale d'une variation d'un courant électrique). Pour communiquer via une ligne téléphonique analogique, les ordinateurs utilisent un équipement dénommé

1. Mesuré en bit/s, kbit/s, Mbit/s et Gbit/s. En informatique, les caractères sont généralement codés sur 8 bits. Un document de 15 pages de texte représente environ 80 ko, soit 640 kbit. Il faudra donc environ 1 minute 6 secondes pour le transférer sur une ligne à 9,6 kbit/s, et seulement 10 secondes sur une ligne à 64 kbit/s.
2. Cette vitesse peut paraître faible en comparaison avec les débits des réseaux locaux qui atteignent couramment 10 Mbit/s voire 100 Mbit/s, mais est importante pour un réseau grande distance.

modem* (*mo*dulateur-*dém*odulateur) capable de transformer un signal numérique en signal analogique et *vice versa*.

Les lignes numériques* (ou digitales) sont capables de véhiculer directement des informations codées sous forme binaire (variation de tension électrique entre deux états ; par exemple +5V pour 1, et –5V pour 0). Le *Réseau Numérique à Intégration de Services*[1] (RNIS*) est un réseau constitué de lignes entièrement numériques. L'avantage de ces dernières est de permettre d'atteindre des vitesses de transmission beaucoup plus élevées que les lignes analogiques. De plus la détection et la correction des éventuelles erreurs de transmission sont plus faciles. Enfin de nombreuses lignes numériques utilisent la fibre optique comme support de transmission, ce qui assure une communication rapide et fiable[2].

C) *Lignes dédiées.* — Internet utilise certaines lignes en permanence alors que d'autres sont utilisées temporairement. Les lignes permanentes sont dites dédiées (*dedicated lines*). Elles sont louées (*leased*) à un transporteur (*carrier*) comme France Télécom. Les connexions temporaires sont établies en fonction des besoins. Les lignes louées sont facturées en fonction de la distance et du débit garanti souhaité ; elles constituent donc un coût fixe. Les lignes temporaires sont facturées en fonction de la distance et de la durée d'utilisation. Les lignes analogiques comme les lignes numériques peuvent être louées ou utilisées temporairement.

Il est fréquent d'utiliser à la fois une ligne louée et une ligne temporaire. Une entreprise loue par exemple une ligne à 64 kbit/s (suffisante la majeure partie du temps) et peut utiliser une seconde ligne à 64 kbit/s en cas de besoin.

2. **Organisation du réseau.** — Quatre niveaux composent l'architecture du réseau Internet (figure 1).

---

1. Plus connu sous ses appellations commerciales *Numéris* en France, *Swissnet* en Suisse.
2. La fibre optique est insensible aux perturbations électromagnétiques et supporte des débits supérieurs à 100 Mbit/s.

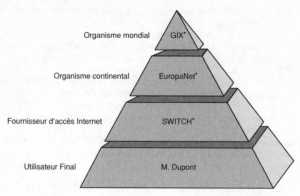

Fig. 1. — Organisation des accès Internet

A) *Fournisseurs d'accès.* — Les utilisateurs du réseau Internet se trouvent au premier niveau du schéma pyramidal. Ils accèdent au réseau par l'intermédiaire d'un fournisseur d'accès[1] Internet (ISP, *Internet Service Provider*◆). Dans notre exemple, M. Dupont est rattaché à SWITCH◆, l'un des fournisseurs d'accès Internet en Suisse.

La plupart des utilisateurs individuels accèdent au réseau en utilisant un modem◆ et une ligne téléphonique. Ils se connectent sur le point de présence (POP, *Point of Presence*) le plus proche. L'idéal est de disposer d'un point de présence situé à proximité car les factures téléphoniques en seront nettement allégées[2].

Les vitesses de transmission via un modem s'échelonnent entre 9,6 et 28,8 kbit/s. Certains fournisseurs proposent également des accès numériques via RNIS◆ avec des débits de 64 kbit/s et plus. Les lignes RNIS

1. L'annexe I, page 115, propose des listes de fournisseurs d'accès européens.
2. Aux Etats-Unis, les communications téléphoniques locales sont gratuites. Les personnes disposant d'un POP situé dans la zone locale ne paient donc pas la communication téléphonique entre leur domicile et le POP. C'est une des raisons du succès d'Internet aux Etats-Unis.

8

louées sont recommandées pour les entreprises qui souhaitent se connecter de façon permanente à Internet, notamment pour y mettre des informations à disposition.

B) *Organismes continentaux.* — Les fournisseurs de services Internet régionaux ou nationaux sont interconnectés. Cette interconnexion peut être directe ou réalisée par l'intermédiaire d'un organisme supranational (troisième étage de la pyramide, figure 1). Au niveau européen, il en existe deux principaux : Ebone et Europanet. Ebone est une association qui gère l'interconnexion de nombreux réseaux européens. RENATER, fournisseur d'accès Internet pour les Universités françaises, est membre de Ebone. Europanet est géré par DANTE (*Delivery of Advanced Network Technology to Europe*), entreprise à but non lucratif créée en 1993 par plusieurs réseaux nationaux de support à la recherche. SWITCH, fournisseur d'accès Internet pour les Universités suisses, est actionnaire de DANTE.

C) *Organismes internationaux.* — Les différents réseaux supranationaux sont interconnectés entre eux soit directement, soit par l'intermédiaire des GIX (*Global Internet eXchange*). Il existe notamment un GIX à Washington. Les réseaux formant Internet concluent des accords bilatéraux portant sur l'échange de trafic. Lorsqu'un utilisateur de l'Université de Lausanne envoie un message électronique à un utilisateur de l'Université de Toulouse, les données du message transitent par différents réseaux (figure 2). Dans cet exemple, les données pourraient emprunter les lignes définies par les accords de service. Le GIX étant situé à Washington, les données traverseraient deux fois l'Atlantique inutilement. Afin d'éviter ce gaspillage de bande passante, les différents réseaux signent des accords bilatéraux. Dans notre exemple, il existe un accord bilatéral entre SWITCH et Ebone. Les données emprunteront donc directement ce chemin. SWITCH effectue le routage* des données afin de n'envoyer vers Ebone que les données qui concernent Ebone ou l'un des sous-réseaux qui lui est rattaché par un accord de service.

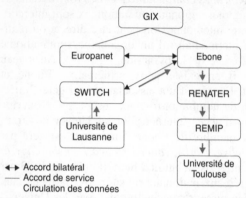

Fig. 2. — Circulation d'informations sur Internet

D) *Facturation*. — Aussi étrange que cela puisse paraître (par rapport au *Minitel*), Internet n'est pas facturé en fonction de l'utilisation réelle des ressources. En principe, l'utilisateur ne paie que le coût de la communication jusqu'au POP* (c'est-à-dire rien pour la plupart des Américains !), plus un abonnement au fournisseur d'accès. Cet abonnement est fixe chez certains fournisseurs, variable en fonction de la durée de connexion chez d'autres. Il a pour but d'assurer le financement du fournisseur d'accès (matériel, lignes, personnel, etc.).

Lorsqu'un internaute* se connecte depuis Paris sur le site de Microsoft aux Etats-Unis pour effectuer un transfert de fichiers, il ne paie pas l'utilisation des ressources qu'il sollicite (lignes satellites ou sous-marines, etc.). Sur Internet, réaliser un transfert de fichier entre Paris et Lille ne coûte ni plus ni moins que le même transfert entre Paris et New York, Sidney, Singapour ou Los Angeles[1].

Le principe de base de ce système de tarification peut se résumer ainsi : « chacun paye son petit morceau d'Internet ». Le système repose sur un échange dans lequel chaque partie met à disposition des ressources et peut en contrepartie utiliser celles des autres. Ce principe est appliqué par tous les sites Internet. Il est lié aux origines d'Internet et sera probablement modifié dans les années à venir.

De nombreux sites Internet sont financés ou subventionnés par les Etats, notamment la majorité des sites universitaires. Le gouvernement américain a cessé de financer le NSFnet*, élément important du réseau Internet aux Etats-Unis[2]. Ce désengagement des Etats va de pair avec la commercialisation d'Internet[3].

E) *Connectivité Internet dans le monde.* — Landweber [19], président de l'*Internet Society*, estime à environ 96 le nombre de pays disposant d'une connexion Internet directe, et à environ 170 le nombre de pays disposant d'une connexion aux réseaux informatiques mondiaux formant ce que Quartermann [34] nomme la Matrice (*The Matrix*).

III. — **Composantes logicielles**

Les machines connectées au réseau Internet dialoguent en utilisant un « langage de communication » commun appelé TCP/IP (*Transmission Control Protocol / Internet Protocol*[4]). Les protocoles de communication de la famille TCP/IP assurent l'interopérabi-

---

1. Pour être tout à fait exact, la vitesse de transmission entre ces villes peut varier, ce qui entraînera une variation dans la durée de connexion sur le POP et aura donc une influence sur la facture de communication téléphonique locale.
2. Le NSFnet a cessé de fonctionner le 30 avril 1995. Il a été remplacé par une série de réseaux interconnectés (MCInet, Sprintlink, ANSnet-AOL et CERFnet).
3. Nous reviendrons sur ces questions dans le chapitre II.
4. Voir [27] et [26] pour les spécifications des protocoles TCP et IP.

lité entre les ordinateurs hétérogènes qui sont reliés au réseau Internet. En fait, le sigle TCP/IP référence un grand nombre de protocoles[1] de communication spécialisés dans certains services.

1. **Services offerts par un réseau.** — Les réseaux de télécommunication offrent à leurs utilisateurs des services[2] que l'on peut classer dans les catégories qui suivent :

a) Transfert de fichiers. — Le transfert de fichiers permet de copier des informations depuis un ordinateur vers un autre en utilisant le réseau comme support de transmission.

b) Partage de fichiers. — Le partage de fichiers va plus loin que le transfert de fichiers puisqu'il permet d'utiliser un fichier stocké sur une machine distante. L'accès aux fichiers partagés est transparent*.

c) Messagerie électronique. — Le service de messagerie électronique propose un système de courrier informatisé beaucoup plus rapide que le courrier postal. Les messages électroniques peuvent contenir du texte ainsi que des éléments multimédias (son, image, vidéo, etc.).

d) Emulation de terminal. — L'émulation de terminal* autorise la connexion à un ordinateur en mode terminal.

e) Accès à l'information. — Ces services favorisent l'accès à l'information. Ils sont couplés à des systèmes d'indexation et de recherche qui facilitent la collecte d'information.

f) Impression. — Le partage d'imprimante en réseau permet d'imprimer un document à distance.

---

1. Un protocole de communication est une convention qui spécifie des règles d'échange d'informations entre deux machines. Il existe un grand nombre de protocoles. Certains sont normalisés au niveau international, c'est-à-dire qu'ils ont été spécifiés par un organisme international comme l'ISO* ou l'ITU*.
2. Les services sont rendus par des applications, c'est-à-dire par des programmes qui travaillent selon des règles spécifiées dans les protocoles de communication. Les principales applications TCP/IP sont présentées au chapitre III.

g) Exécution de commandes à distance. — L'exécution de commandes à distance autorise un logiciel à
utiliser la capacité de calcul d'une machine connectée
au réseau afin de lui faire exécuter des opérations.

h) Gestion. — Les services de gestion sont utilisés
par les administrateurs du réseau.

2. Architecture de TCP/IP. — Les protocoles[1] de
la famille TCP/IP sont structurés en trois blocs fonction-
nels (figure 3). Le modèle architectural de TCP/IP a été
conçu avant le modèle OSI*, c'est pourquoi il est difficile
d'établir un parallèle parfait entre ces deux architectures
de communication.

Le niveau applicatif regroupe les protocoles d'application
comme Telnet* ou FTP*. Ce niveau du modèle TCP/IP recouvre des
fonctions classées dans les couches 5 à 7 du modèle OSI.

Le protocole TCP offre aux applications TCP/IP un service de
transport de données fiable entre deux ordinateurs connectés à
Internet. TCP reçoit les données que la couche applicative souhaite
transférer. Il segmente ces données en une série de paquets appe-
lés *datagrammes*. Les datagrammes sont numérotés par TCP. Chacun contient un en-tête (*TCP header*) dans lequel figurent entre
autres l'adresse de la machine destinataire et le numéro du datagramme. Il comporte également une somme de contrôle d'erreur
(*checksum*) qui permettra de vérifier que le datagramme a été
transmis sans erreur. TCP transmet les datagrammes à la couche IP.

Le protocole IP est le protocole de niveau 3 qui offre un service
d'acheminement de paquets en mode non connecté[2] et sans
garantie de service. Le protocole IP gère le routage* des paquets
sur Internet. Lorsque la couche IP reçoit des datagrammes, elle
leur ajoute son en-tête IP. Ce dernier contient l'adresse des deux
machines, source et cible, ainsi qu'une somme de contrôle qui
permettra de vérifier que l'en-tête IP n'est pas altéré en cours de
transmission. Lorsque le paquet IP est transmis sur le réseau, il est
aiguillé par les routeurs IP sur la base de l'adresse de la station de
destination.

---

1. Pour une liste des protocoles TCP/IP, se référer à [33].
2. En mode non connecté, il n'y a pas d'établissement d'une connexion logique
préalablement à l'émission des paquets comme avec le protocole X.25. Les paquets
d'un même message peuvent emprunter des routes différentes. La séquentialité des
paquets n'est pas garantie par le protocole qui n'effectue pas non plus de contrôle de
flux, ni de contrôle d'erreur sur le contenu des paquets.

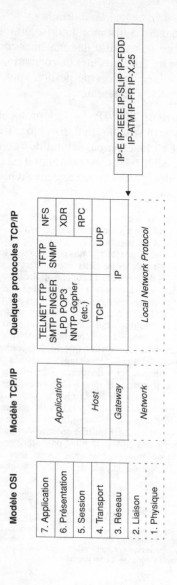

Fig. 3. — Architecture TCP/IP par rapport au modèle OSI

14

Les protocoles TCP/IP s'appuient sur d'autres protocoles de bas niveau (par exemple Ethernet✦). Des standards précisent l'interfaçage entre la couche réseau IP et des protocoles de couches inférieures comme Ethernet ou ATM✦.

3. Adressage et nommage des ressources. — Les techniques d'adressages conditionnent l'accès aux ressources du réseau.

A) *Adresse Internet.* — Chaque ordinateur connecté à Internet est identifié par un numéro unique. Ce dernier est appelé *adresse Internet*, ou adresse IP✦. Ce numéro comporte 32 bits. Il est d'usage de l'écrire sous la forme de quatre octets, le plus souvent en décimal, ce qui donne par exemple 130.224.90.49.

B) *Classes d'adresses.* — Lorsqu'une entreprise souhaite se connecter à Internet, elle demande, à son fournisseur d'accès, un ensemble d'adresses Internet pour les affecter à ses ordinateurs. On distingue trois types de groupes d'adresses. Les adresses de classe A permettent de référencer environ 16 millions de machines. Elles ont quasiment toutes été affectées aux grands groupes américains, et très peu sont encore disponibles. Les adresses de classe B autorisent l'adressage d'environ 65 000 machines. Il reste encore des adresses de classe B, mais leur distribution est plus stricte qu'auparavant. Les adresses de classe C garantissent un espace d'adressage de 250 machines et sont encore largement disponibles.

Le manque d'adresses Internet est un des facteurs qui pousse l'évolution du protocole IP vers IPng✦ (*IP next generation*), puisque l'espace d'adressage passera alors de 32 bits à 128 bits.

C) *Noms logiques.* — En plus d'une adresse numérique, chaque machine se voit affecter un *nom logique* (*hostname*). Les noms logiques sont constitués selon un schéma hiérarchique à trois niveaux (figure 4).

Le premier niveau comporte sept domaines internationaux à trois lettres regroupant les machines appartenant à des réseaux internationaux[1] (.com[2], .int, .net, .org), ou aux réseaux dépendant de l'administration américaine (.edu, .gov, .mil).

---

1. A l'origine, ces domaines auraient dû regrouper tous les réseaux commerciaux ou universitaires, mais en réalité, ils regroupent presque exclusivement des réseaux américains. Les entreprises ou les universités des autres pays sont référencées dans le domaine correspondant au pays où elles se trouvent [7].
2. Les filiales des entreprises américaines internationales peuvent être référencées sous le domaine .com, même si elles sont physiquement situées dans un pays autre que les Etats-Unis.

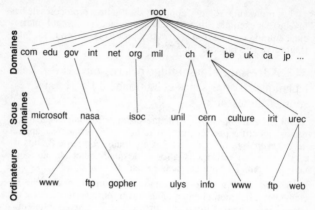

Fig. 4. — Nommage des ressources Internet

Les réseaux nationaux sont référencés par des domaines à deux lettres (code ISO[1] du pays).

.com	commercial (entreprises),		.be	Belgique,
.edu	éducatif (universités),		.ca	Canada,
.gov	gouvernemental (administrations),		.ch	Suisse,
.int	organisations internationales,		.fr	France,
.mil	militaire (armée),		.uk	Royaume-Uni,
.net	réseau (fournisseurs de service),		.us	Etats-Unis,
.org	organisations à but non lucratif.		.jp	Japon.

A l'intérieur des domaines sont organisés des sous-domaines (deuxième niveau) correspondant à des entités économiques. Dans le domaine .com on trouve par exemple de nombreuses entreprises informatiques internationales comme Microsoft, IBM ou Apple, chacune possédant son propre sous-domaine[2].

Le troisième niveau concerne les machines (ordinateurs, routeurs*, etc.) qui possèdent toutes un *nom logique*.

Pour identifier une machine par son nom logique, on sépare les trois niveaux par des points, dans l'ordre suivant: nom.sous-domaine.domaine, ce qui donne par exemple bingo.unil.ch ou ftp.microsoft.com.

---

1. Norme ISO 3166 (voir <ftp://ftp.ripe.net/iso3166-countrycodes>).
2. Le nom du sous-domaine ne correspond pas toujours exactement au nom de l'entreprise. Par exemple *Andersen Consulting* possède le sous-domaine ac.com.

Il est possible d'ajouter d'autres niveaux pour affiner le classement. Le domaine .us, par exemple est divisé en sous-domaines correspondant aux Etats américains. A l'intérieur des Etats, on trouve les villes, puis les organisations et enfin les machines[1].

D) *Serveurs de noms.* — Chaque domaine possède un serveur de nom (DNS*, *Domain Name Server*) chargé d'effectuer la nécessaire correspondance entre les noms logiques et les adresses Internet numériques (les communications entre machines s'effectuant sur la base de ces dernières). Les DNS communiquent entre eux pour résoudre les adresses.

E) *Registres Internet.* — L'attribution des plages d'adresses IP est placée sous la responsabilité de l'IANA* (*Internet Assigned Numbers Authority*) qui la délègue à des organismes gérant les registres Internet[2] (IR, *Internet Registry*). Il en existe trois. Le principal est l'InterNIC* qui gère les domaines com, edu, net, org et gov[3], le domaine des Etats-Unis (us) et le reste du monde, sauf l'Europe et la région Asie-Pacifique dont les domaines sont gérés respectivement par le Centre de Coordination Réseau RIPE* NCC (Réseaux IP européens *NetWork Coordination Center*) et l'AP-NIC (*Asia-Pacific Network Information Center*). Ces trois organismes reposent sur une série de fournisseurs d'accès Internet nationaux ou internationaux qui gèrent chacun un sous-ensemble des adresses IP. En France, par exemple, RENATER* peut allouer de façon autonome les adresses IP de classe C que lui confie RIPE. Par contre, les demandes d'adresses de classe B doivent passer par RIPE.

Les centres d'information réseau (NIC*) entretiennent des bases de données regroupant la liste de toutes les adresses Internet attribuées (état du registre). Ils établissent également des statistiques sur l'évolution du nombre d'adresses affectées dans tel ou tel domaine[4].

F) *Nommage et adressage uniformes.* — L'adressage des machines est nécessaire mais non suffisant lorsque l'on s'intéresse aux services Internet. Un groupe de travail de l'IETF* travaille sur les systèmes universels d'identification des ressources Internet (URI, *Universal Resource Identifier*). Pour l'instant, le moyen le plus utilisé pour désigner une ressource est l'URL, *Uniform Resource Locator*[5]. La syntaxe des URL est basée sur le nom-

---

1. Le schéma est expliqué en détail dans la RFC-1480 [7].
2. Voir [32] et [7] pour plus d'information.
3. Le domaine mil est géré par le Département de la Défense (nic.ddn.mil) et le domaine int par l'*Information Sciences Institute* (ISI) *of the University of Southern California.*
4. Voir par exemple <ftp://ftp.ripe.net/ripe/hostcount/>.
5. La syntaxe des URL est en cours de standardisation [3].

mage des machines (adresses IP et noms logiques), sur la localisation physique des ressources (chemin d'accès d'un fichier par
exemple) et sur les protocoles Internet existants. Elle suit le
schéma général suivant :

```
<url:<scheme>:<scheme-specific-part>>
```

```
//<user>:<password>@<host>:<port>/<url-path>
```

Exemples :

```
<url:ftp://nic.switch.ch/docs/rfc>
```
Accès par FTP* au site nic.switch.ch, dans le répertoire /docs/rfc

```
<url:http://www.epfl.ch>
```
Accès par WWW* au site www.epfl.ch

La RFC-1738 définit les schémas propres aux différentes ressources Internet. Tout au long de cet ouvrage, nous utilisons la
syntaxe URL pour indiquer les références disponibles sur Internet.
La syntaxe URL est de plus reconnue[1] par les clients *World-Wide
Web**, ce qui simplifie l'accès aux ressources citées.

Une des limites inhérentes aux URL est le lien entre une ressource (par exemple un document) et sa localisation physique
(nom de la machine et du répertoire). Pour répondre à ce problème, le groupe de travail URI de l'IETF réfléchit à un système de
nommage des ressources qui soit plus stable dans le temps :
l'URN, *Uniform Resource Name*. Quelques caractéristiques des
futurs URN ont déjà été esquissées[2]. Le système prévoit la définition d'un futur mécanisme de mise en correspondance d'un URN
avec un ou plusieurs URL précisant la localisation physique de la
ressource à laquelle on souhaite accéder.

Le modèle d'identification des ressources Internet (IIIA, *Internet Information Infrastructure Architecture*) prévoit également les
URC, *Uniform Resource Characteristics*. L'URC sera vraisemblablement un ensemble d'attributs (méta-information) relatifs à une
ressource (par exemple l'auteur, l'éditeur, la date de création, le
prix, etc.).

---

1. Pour accéder aux ressources référencées par les URL citées dans cet ouvrage,
à l'aide d'un client WWW* comme NetScape*, il suffit d'enlever le préfixe « < » et le
suffixe « > » (par exemple, pour consulter <http://www.epfl.ch>, on indiquera
l'URL http://www.epfl.ch à NetScape). Les références données dans ce livre sont
toutes des URL, nous avons donc pris la liberté d'en simplifier le préfixe.
2. Voir la RFC-1737 [39].

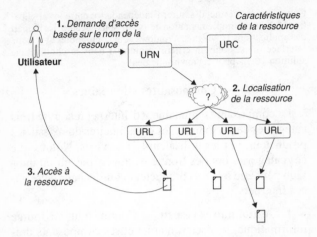

4. **Logiciels TCP/IP.** — Parmi les logiciels[1] TCP/IP, on distingue les programmes de communication eux-mêmes des programmes applicatifs. Il existe de très nombreuses implantations des protocoles TCP/IP pour tous les systèmes d'exploitation disponibles sur le marché. Certains systèmes d'exploitation (Unix, Windows 95, etc.) intègrent une implémentation de TCP/IP. Pour les autres, il est nécessaire de se procurer une solution commerciale ou d'utiliser une des solutions disponible sur Internet (en *freeware*♦ ou en *shareware*♦).

Les implémentations de TCP/IP[2] contiennent généralement les applications de base comme FTP♦ ou Telnet♦. Certaines offrent des applications supplémentaires (client WWW♦ par exemple).

Sous Windows, l'accès des applications aux fonctions de communication offertes par TCP/IP est réalisé par l'intermédiaire d'une interface applicative (API), les *Windows Sockets*♦ (Winsock.dll).

---

1. Le chapitre III présente les applications Internet.
2. On rencontre l'expression « *stack* TCP/IP », pour désigner une pile de protocoles TCP/IP.

Cette dernière permet d'assurer l'indépendance entre les applications TCP/IP et l'implémentation de TCP/IP sous-jacente. La plupart des applications TCP/IP pour Windows sont compatibles avec cette interface, c'est donc un critère primordial dans le choix d'une solution TCP/IP pour cet environnement.

IV. — Composantes « humaines »

La composante « humaine » d'Internet recouvre trois catégories de personnes : les gestionnaires du réseau, les producteurs[1] et les utilisateurs de services. Notons que ces catégories ont des frontières floues, puisqu'un individu peut être à la fois producteur et utilisateur de services Internet.

1. **Gestionnaires réseau.** — Comme toute ressource informatique, le réseau Internet et ses composants doivent être gérés. Le personnel des fournisseurs d'accès Internet assure le fonctionnement du réseau. Il regroupe les techniciens et ingénieurs capables de résoudre les problèmes matériels et logiciels liés au réseau. Les gestionnaires des fournisseurs d'accès jouent aussi un rôle dans la promotion d'Internet ainsi que dans les négociations relatives aux interconnexions des différents réseaux IP aux échelons régionaux, nationaux, continentaux et internationaux.

Les chercheurs universitaires ou en entreprises permettent de faire évoluer les technologies qui sous-tendent Internet.

2. **Producteurs de services.** — Nous classons dans les producteurs, le personnel des nombreuses organisations, commerciales ou non, qui offrent des services sur Internet. Dans cette catégorie, on rencontre une partie des employés des ISP* qui ont élargi leur palette de pres-

---

1. Nous employons le terme de « producteurs », pour les distinguer des fournisseurs de services Internet (ISP*).

tations vers les services à valeur ajoutée comme la mise en forme d'information.

3. **Utilisateurs de services.** — Les utilisateurs du réseau Internet forment une communauté disparate de plusieurs millions d'utilisateurs. Le nombre exact de ces derniers est inconnu[1] (probablement 30 à 40 millions). Plus que l'évaluation du nombre exact d'internautes, c'est la segmentation du marché potentiel qu'ils représentent qui est encore assez mal connue. Des études marketing sont en cours pour tenter de définir des typologies précises d'utilisateurs (sexe, âge, catégorie socio-professionnelle, domaine d'activité, habitudes de consommation, etc.). Ce manque de transparence du marché constitue un frein provisoire à l'utilisation commerciale d'Internet.

V. — *L'Internet Society*

S'il est vrai qu'Internet n'appartient pas à une entreprise ou à une organisation particulière, il n'en reste pas moins que des organismes encadrent son évolution.

1. **L'Internet Society (ISOC).** — L'*Internet Society*[2] se définit elle-même comme « une organisation globale et internationale destinée à promouvoir l'interconnexion ouverte des systèmes et l'Internet ». Toute personne intéressée[3] par l'avenir d'Internet peut devenir membre de l'ISOC.

La figure 5 présente une version simplifiée de l'organisation de l'ISOC. A la tête de cette dernière, on trouve le Conseil de Gestion (*Board of Trustees*) qui est élu par

---

1. Voir page 35.
2. <http://www.isoc.org>.
3. L'ISOC compte aujourd'hui environ 5 000 membres individuels. L'adhésion coûte 35 US$/an. Pour plus d'information : <http://www.isoc.org/individual-join.html>.

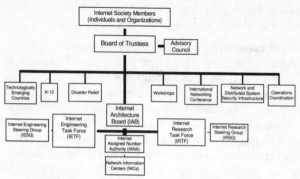

Fig. 5. — Structure simplifiée de l'*Internet Society*
(adaptée d'une présentation de Tony Rutkowski [36])

les membres de l'ISOC et dont le président est actuellement Larry Landweber.

L'ISOC regroupe plusieurs Comités. Le plus important est l'*Internet Architecture Board*[1] (IAB) dont le président est pour l'instant Brian Carpenter. L'IAB gère les évolutions des protocoles de communication TCP/IP par l'intermédiaire de trois organes principaux :

— L'*Internet Assigned Number Authority* (IANA) gère tous les numéros et codes[2] qui doivent être uniques au niveau d'Internet. Elle est notamment responsable de l'attribution des adresses IP. L'IANA délègue la gestion des domaines d'adressage à l'InterNIC* (*International Network Information Center*), qui lui-même en délègue une partie à RIPE* pour les réseaux européens et à l'AP-NIC pour les réseaux IP de la région Asie-Pacifique.

— L'*Internet Engineering Task Force* (IETF) fédère les groupes travaillant à l'évolution des technologies qui sous-tendent Internet. Elle élabore les spécifications

---

1. Voir la RFC-1601 pour la Charte de l'IAB et la RFC-1160 pour une explication plus détaillée de l'organisation de l'IAB.
2. La liste de tous ces numéros et codes figure dans la RFC-1700.

et les premières implantations des protocoles de la famille TCP/IP. L'IETF travaille par exemple sur la mise au point d'IPng*. L'IETF est dirigé par l'IESG (*Internet Engineering Steering Group*).

— L'*Internet Research Task Force* (IRTF) se consacre à la recherche à long terme, préparant ainsi les futurs travaux de l'IETF. Son comité de direction est l'IRSG (*Internet Research Steering Group*).

Il existe également un projet de création d'une *Internet Law Task Force* (ILTF[1]), afin de définir un cadre juridique permettant d'apporter des réponses aux problèmes légaux soulevés par Internet.

2. **L'élaboration des protocoles TCP/IP.** — Le système[2] de développement, de validation et d'approbation des standards développés par l'IAB est un élément important dans le succès technique des protocoles TCP/IP. Par rapport au processus de normalisation en vigueur dans les organismes internationaux comme l'ISO* ou l'ITU*, celui de l'IAB est beaucoup plus rapide.

L'IETF lance le processus de développement d'un nouveau standard sur la base d'une idée émise par des utilisateurs en créant un groupe de travail ouvert à toute personne intéressée. On y trouve donc aussi bien des universitaires que des chercheurs et ingénieurs de l'industrie. Les membres du groupe élaborent un projet de protocole et un premier prototype qui sont décrits et présentés à l'IESG. Après accord de l'IESG, le protocole devient une proposition de standard (*Proposed Standard*), entrant ainsi dans le cycle de standardisation (*Standard Track*). La proposition est discutée et plusieurs implantations sont développées. Il faut au moins six mois et deux implémentations interopérables du protocole pour que l'IESG lui donne le statut de *Draft Standard*. Ce dernier est alors implémenté sur de nouvelles plates-formes et testé à plus grande échelle (cette période dure au moins quatre mois). Si les tests s'avèrent concluants, l'IESG peut promouvoir le *draft* comme un nouveau protocole standard (*Internet Standard*), et lui affecter un numéro de standard.

Tout au long de ce processus, les standards sont publiquement et gratuitement disponibles en format électronique sous forme de documents que l'on appelle les RFCs (*Request For Comments*).

---

1. Voir <http://www.nptn.org/cyber.serv/solon/iltf/index.html>.
2. Le processus de standardisation est décrit dans la RFC-1602 [15]. Le STD-1 [26] comporte la liste des standards officiels d'Internet.

Toutefois, tous les RFCs ne contiennent pas des standards Internet. La diffusion gratuite des spécifications des protocoles Internet est un des facteurs qui encourage le développement de produits compatibles avec Internet, puisqu'elle offre aux développeurs une grande transparence technique.

Il existe aujourd'hui environ 1 900 RFCs disponibles sur Internet. Le répertoire central[1] des RFCs est l'InterNIC*. Il est important de se procurer en premier le fichier rfc-index.txt, car il contient la liste des RFCs. Il existe plusieurs autres sites dépositaires des RFCs en Europe, notamment le NIC* France[2] (hébergé par l'INRIA) ou RIPE*[3]. Le fichier <ftp://ftp.internic.net/rfc/rfc-retrieval.txt> contient la liste des sites officiels mettant les RFCs à disposition de la communauté Internet. Les standards sont documentés dans des RFCs qui possèdent également un numéro de standard spécifique (STD-XX). La liste officielle de tous les standards Internet se trouve dans le document RFC-1880, STD-1 [33] (le numéro du standard est stable dans le temps alors que le numéro d'un RFC varie à chaque nouvelle version du document).

---

1. <ftp://ftp.internic.net/rfc/>.
2. <ftp://ftp.nic.fr/pub/documents/rfc/>.
3. <ftp://ftp.ripe.net/rfc/>.

Chapitre II

D'ARPANET AUX AUTOROUTES DE L'INFORMATION

L'objectif de ce chapitre est de présenter l'évolution du réseau Internet depuis ses origines afin de comprendre comment, en l'espace de vingt-cinq ans, il est devenu le plus grand réseau mondial avec plus de six millions de machines interconnectées, préfigurant ce que seront les futures autoroutes de l'information. Nous évoquerons également les principaux défis auxquels se trouve aujourd'hui confronté Internet.

I. — Histoire d'Internet

Les tableaux 1 et 2 présentent une vue chronologique et synthétique de l'histoire du réseau Internet.

1. **La préhistoire du réseau.** — En 1957, le ministère de la Défense américain (DoD, *Department of Defense*) crée l'agence pour les projets de recherche avancée (ARPA, *Advanced Research Project Agency*). Cette dernière est mise en place dans le but de renforcer les développements scientifiques susceptibles d'être utilisés à des fins militaires. Nous sommes alors en pleine guerre froide et l'URSS vient de remporter un succès scientifico-militaire en lançant le premier satellite Spoutnik (1957). Comme le mentionne Hardy [11], l'histoire d'Internet commence aux Etats-Unis dans les années soixante avec la mise en place de réseaux grande distance à commutation de paquets[1].

---

1. La commutation de paquets est une technique de transmission d'information qui consiste à segmenter le message à transmettre en une série de paquets qui sont véhiculés par le réseau.

Tableau 1. — Chronologie historique d'Internet

	⇨1969	1970-1975	1975-1980	1981-1985	1986-1990
Réseau Internet	1968, Grande-Bretagne:Premier réseau à commutation de paquets. 1969, UCLA:Naissance du réseau Arpanet	1970: Utilisation sur Arpanet du protocole Network Control Protocol (NCP)		1982:Le DoD impose le support de TCP/IP. 1983:NCP est abandonné au profit de TCP sur Arpanet. 1983:Arpanet est divisé en Arpanet et Milnet	1986:Création du NSFNet 1987:Création de SWITCH 1988:Internet Worm (virus) 1989:RIPE 1990:Arpanet cesse d'exister
Autres réseaux			1976-77:UUCP est développé et intégré à Unix. 1977:Theorynet 1979:UseNet 1979:CompuServe	1981:BITNET 1981:CSNET 1981:France-Télétel (Minitel) 1982:EUnet 1983:EARN 1983:FidoNet	1987:UUNET 1989:Fusion de BITNET et CSNET en CREN 1989:Création de RIPE
«Politique» «Organisation»	1957:L'URSS lance le Spoutnik. En réponse, les USA créent l'ARPA dans le DoD. 1962:Le rapport de Paul Baran, de RAND Corp., Rapport « On distributed Communication Networks ».	1972: Création de L'Inter-networking Working Group (INWG).	1979:L'ARPA crée l'ICCB, *Internet Configuration Control Board*	1983:*Internet Activities Board* (IAB) remplace l'ICCB)	1988:Création du CERT 1989:Création de l'IETF et de l'IRTF sous l'IAB
Débits Nb de nœuds	1969:4 nœuds	1971:23 nœuds	1977:111 nœuds	1981:213 nœuds 1983:562 nœuds 1984:1.024 nœuds 1985:1.961 nœuds	02/1986:2.308 nœuds 11/1986:5.089 nœuds 12/1987:28.174 nœuds 1986:NSFNet:56kbit/s 1988:NSFNet:1.5Mbit/s
Protocoles Application	1969:Première RFC « Host Software », Steve Crocker	1972:Telnet (RFC-318). 1973:Transfert de fichier (FTP) (RFC-454). 1974:V. Cerf (et al.) pose les base du futur protocole TCP (RFC-675).	1977:Spécification du format des messages électroniques (RFC-733)	1982:TCP et IP sont finalisés. 1982:EGP Exterior Gateway Protocol 1982: Mail Format (RFC-822) 1982: SMTP 1983:Domain Name Servers	1986:NNTP 1987-89:PEM 1989:Sun RPC 1988-89:SNMP 1988-91:POP 1989-94:PPP

Tableau 2. — Chronologie historique d'Internet (suite)

	1991-92	1993-94	1995	1996⇔
Réseau Internet	1991:Création du NREN par le High Performance Computing Act 1991:Création de Renater 1991:Création de Ebone	1993:Création de Dante 1994:25ème anniversaire d'Internet 1993-94:Explosion de WWW 1994:First Virtual est la première cyberbanque 1994:Fusion de RARE et EARN en TERENA	1995:NSFNET cesse d'exister (il est remplacé par des réseaux interconnectés)	Défis : Gestion de la croissance IP next generation Commercialisation et privatisation Sécurisation Ethique
Autres réseaux		1994-France:Rapport Théry	1995:Lancement du Microsoft Network (MSN)	Concurrence Interconnexion
Politique Organisation	1992:Naissance de l'Internet Society (ISOC) 1992:L'IAB devient L'Internet Architecture Board est intégré à l'ISOC	1994:Développement des activités commerciales sur Internet		Financement de l'ISOC ?:ILTF
Débits Nb de nœuds	01/1991:376'000 nœuds 01/1992:727'000 nœuds 10/1992:1'136'000 nœuds 1991: NSFNET backbone à 44.7 Mbit/s	01/1993:1'313'000 nœuds 07/1993:2'056'000 nœuds 01/1994:2'217'000 nœuds 07/1994:3'212'000 nœuds	01/1995:4'852'000 nœuds 07/1995:6'642'000 nœuds	
Protocoles Application	1991:Gopher 1992:World-Wide Web 1992-93:MIME	1993:Mosaic 1994:NetScape	1995:Internet Phone	?:!Png ?:VRML ?:Java, renouveau du World-Wide Web

Le premier véritable réseau à commutation de paquets en mode non connecté est sans doute celui mis en place en 1968 par le *National Physical Laboratories* en Grande-Bretagne. Aux Etats-Unis, les développements commencent, mais c'est en 1969 que cette technologie est livrée à l'ARPA du Département de la Défense américain.

2. **Arpanet.** — En 1962, Paul Baran, de *Rand Corporation*, réalise à la demande de l'US *Air Force* une étude sur les systèmes de communication militaires. Il y énonce les principes et les avantages d'un réseau très décentralisé à structure maillée[1]. La redondance des connexions et des ordinateurs doit, selon lui, garantir son fonctionnement, même en cas de destruction partielle du réseau. Le modèle proposé est celui d'un réseau dans lequel il n'existe pas de point central, afin d'éviter une paralysie du réseau si ce point névralgique est détruit[2]. En cas de destruction de machines ou des connexions, les machines restantes doivent être capables de se reconnecter entre elles en utilisant les lignes en état de marche.

La première mise en œuvre du réseau Arpanet est réalisée à UCLA[3], entre quatre mini-ordinateurs[4] puissants (pour l'époque). Des nœuds supplémentaires ont été ajoutés progressivement au réseau, notamment à l'Institut de Recherche de Stanford, à l'Université de Californie à Santa Barbara et à l'Université d'Utah. Cette dernière fut le premier site à autoriser des connexions sur son système depuis les autres sites.

---

1. Les structures de réseau sont appelées *topologies*. Une topologie est dite maillée, si chacun de ses nœuds est relié à plusieurs autres. Il existe alors plusieurs chemins possibles pour communiquer entre deux nœuds.
2. Cette absence de point central évite aussi les problèmes de saturation liés à la croissance du réseau.
3. *University of California at Los Angeles*.
4. Ces machines Honeywell disposaient d'une mémoire de 24 Ko ! [43]. Elles étaient désignées IMP, *Information Message Processors*, et étaient capables de communiquer en mode paquet.

3. **Internet.** — En 1972, à la Première Conférence Internationale sur les Communications Informatiques (Washington), une démonstration d'un réseau Arpanet de quarante nœuds est réalisée devant un public composé de spécialistes de plusieurs pays (Canada, France, Japon, Norvège, Suède, Grande-Bretagne et Etats-Unis). Les discussions entre les représentants des différents projets de réseaux à commutation de paquets portent sur le besoin de travailler sur des protocoles de communication communs.

L'*InterNetwork Working Group* (INWG) est créé pour répondre à ce besoin de conception de protocoles de communication communs. Le président de ce groupe, Vinton Cerf, propose une première ébauche de la future architecture internationale : un ensemble de réseaux autonomes interconnectés par des passerelles. Les sous-réseaux fédérés doivent disposer d'une grande indépendance, semblable à celle des différentes machines formant Arpanet.

Entre 1972 et 1974, sont développées les premières spécifications des protocoles Internet, notamment Telnet*, FTP* et TCP*. En 1977 c'est le format des messages électroniques qui est défini. En 1979, l'ARPA crée l'ICCB, *Internet Configuration Control Board*, afin de contrôler l'évolution du réseau.

4. **Milnet.** — L'année 1983 marque la date de la division d'Arpanet en deux sous-réseaux, *Arpanet* et *Milnet*, ce dernier étant rattaché au *Defense Data Network*, c'est-à-dire au réseau militaire américain. Arpanet joue le rôle d'épine dorsale du réseau Internet aux Etats-Unis jusqu'en 1990, date à laquelle il est intégré au NSFnet, le réseau du *National Science Foundation* qui deviendra l'épine dorsale d'Internet entre 1990 et 1995, date à laquelle il est remplacé par un ensemble de quelques grands réseaux interconnectés (notamment MCInet, Sprintnet, ANSnet).

5. **UUCP.** — Le protocole UUCP (*Unix to Unix Copy*) est créé en 1976 par Mike Lesk d'AT&T Bell Labs pour échanger fichiers et messages électroniques entre utilisateurs de machines Unix*.

L'utilisation d'UUCP ne nécessite qu'une machine Unix et un modem[*].

UUCP est ajouté en 1977 au système d'exploitation Unix V7 ce qui lui assure très vite une large diffusion. Toujours en 1977, à l'Université du Wisconsin, *Theorynet* est l'un des premiers grands réseaux UUCP. Il fournit des services de messagerie électronique à plus de cent chercheurs en informatique. Les fondateurs de *TheoryNet* organisent en 1979 une réunion comprenant des représentants de la DARPA, du NSF et des chercheurs en informatique. C'est lors de ce meeting que naît le réseau pour la recherche en informatique (CSnet *Computer Science Research Network*). Initialement, l'Université du Wisconsin ne faisait pas partie d'Arpanet, c'est pourquoi le CSnet débuta sous forme d'un réseau indépendant. Néanmoins, dès 1980, Vinton Cerf, alors scientifique à la DARPA, propose l'idée d'une passerelle d'interconnexion entre le CSnet et Arpanet. Les protocoles TCP/IP, récemment développés par la DARPA, doivent être utilisés pour faire transiter de façon transparente l'information d'un réseau à l'autre. La DARPA décide alors de mettre gratuitement à disposition les spécifications des protocoles TCP/IP. Hardy [11] note l'importance de cette décision pour le futur réseau Internet.

CSnet évolue en plusieurs étapes. La première, achevée en 1982, doit offrir l'accès distant à la messagerie électronique. La seconde, terminée fin 1983, voit la mise en œuvre du premier serveur de nom, préfigurant les futurs DNS[*] (*Domain Name Servers*) utilisés sous TCP/IP. Il faut attendre le début des années 1990 pour que les DNS et le routage[*] dynamique se généralisent, remplaçant les anciens fichiers « /etc/hosts » qui contenaient les tables de routage statiques et étaient autrefois présents sur toutes les machines.

6. **Usenet.** — Usenet, *Unix User Network,* n'est pas un réseau, mais un service de conférence électronique qui utilise un réseau comme support. Les Usenet *news* sont présentées au chapitre III.

A l'origine, le moyen utilisé pour transporter les articles[1] d'un site Usenet à un autre est le protocole UUCP[2]. Selon Spafford [40], Usenet est créé en 1979, par Tom Truscott et Jim Ellis, deux diplômés de l'Université de Duke qui travaillent à l'Université de Caroline du Nord (UNC), sur la connexion de machines Unix situées à Duke et à l'UNC. L'objectif est de permettre des échanges d'information entre les utilisateurs d'Unix des deux Universités. Début 1980, leur implantation de Usenet (qui regroupe alors trois machines) est présentée à la Conférence Usenix.

---

1. Le format des articles est précisé par la RFC-1036.
2. Il sera ensuite remplacé par NNTP, voir plus loin.

C'est en 1983 que Gene Spafford crée le premier *backbone* pour Usenet. Afin d'optimiser la transmission des *news*, il définit en 1986 les critères de sélection des sites qui constituent l'arête principale de diffusion des Usenet news.

L'augmentation du nombre de sites Arpanet utilisant les Usenet *news* entraîne le remplacement du protocole UUCP par le protocole NNTP, *Net News Transfer Protocol*[1]. Ce sont les travaux de Brian Cantor et Phil Lapsley (1984-85) qui sont à l'origine du protocole NNTP [40]. Ce dernier apporte plusieurs avantages par rapport à UUCP, notamment la possibilité d'accéder aux *news* sans avoir à installer un serveur Usenet sur chaque machine. Il suffit maintenant de disposer d'une seule machine serveur Usenet par site. Les communications entre la machine serveur NNTP et les machines clientes s'effectuent par TCP/IP. NNTP est également plus performant que UUCP en termes de charge du réseau et de rapidité de propagation des articles.

La création des *newsgroups* sur des thèmes relatifs au sexe et à la drogue (rec.sex et rec.drugs), est proposée et votée par la communauté Usenet, mais de nombreux administrateurs de sites de l'arête principale de Usenet censurent ces groupes en refusant de véhiculer leurs articles. Très rapidement, une branche alternative « alt » est ajoutée à l'arborescence officielle de Usenet, afin de contourner la censure. Les articles postés sur les groupes alt. utilisent des voies de communication différentes de celles de l'arête principale. La hiérarchie alt. compte aujourd'hui de nombreux *newsgroups* dont certains attirent toujours les foudres des censeurs, notamment toute la sous-hiérarchie alt.sex et ses *newsgroups* diffusant des textes et photographies érotiques. La liberté d'expression a toujours été très vivement défendue sur Usenet, mais résiste difficilement aux assauts toujours plus puissants du puritanisme américain.

7. **Bitnet.** — Le réseau Bitnet (*Because It's Time NETwork*) est créé en 1981 par l'Université de la ville de New York. Bitnet offre un système de conférence électronique appelé *listserv* qui propose environ 4 000 sujets de discussions. Lorsqu'un message électronique est envoyé à une liste de discussion, le serveur qui la gère duplique le message et le renvoie (par messagerie électronique) à toutes les personnes abonnées à cette liste.

Bitnet est géré par le BITNIC, *Bitnet Network Information Center*. Le service offert par Bitnet est très voisin de celui de Usenet, bien qu'il existe des différences culturelles entre ces deux mondes. Comme le note Hardy [11], « la culture de Bitnet est plutôt plus conservatrice que celle de Usenet, surtout si l'on s'attache à ce qui est permis ou non sur les listes modérées ». Aujourd'hui,

---

1. NNTP est défini dans la RFC-977.

toute personne disposant d'un service de messagerie peut utiliser les services des *listserv* de Bitnet.

Bitnet fusionne avec CSnet en 1989 pour former le réseau CREN[1] (*Corporation for Research and Education Network*).

8. FidoNet. — L'origine de FidoNet remonte au développement du logiciel de gestion de BBS[2] Fido, par Tom Jennings en 1984. Ce logiciel permet de transformer un micro-ordinateur compatible IBM-PC en un serveur de BBS♦ pour offrir des services de messagerie et de transfert de fichiers, ainsi qu'un service de conférence (*echomail*). Vers 1986, Fidonet est créé pour fédérer les BBS utilisant le logiciel FidoBBS.

9. Les réseaux de services en ligne. — De nombreux réseaux offrent des services en ligne à des niveaux nationaux et internationaux. Il existe depuis longtemps des passerelles de messagerie entre ces réseaux et Internet. Depuis peu, la plupart de ces réseaux proposent à leurs clients un accès plus ou moins complet à Internet.

A) *CompuServe.* — Créé en 1979, CompuServe[3] compte aujourd'hui plus de 3,2 millions d'utilisateurs, dans plus de 120 pays. CompuServe offre des services de messagerie électronique, de discussion (forums) et de transfert de fichiers. Les connexions au réseau se font via modem. De nombreuses grandes entreprises informatiques disposent d'un forum sur CompuServe. En rachetant Spry en 1995, CompuServe est devenu un fournisseur d'accès Internet. Tout client de CompuServe peut aujourd'hui accéder au *World-Wide Web*♦. CompuServe a conclu de nombreux accords, notamment avec le groupe Time Warner[4].

B) *America Online.* — *America Online*[5] (AOL) est l'un des grands réseaux américains avec environ 3,5 millions d'utilisateurs. AOL a récemment marqué son intérêt pour Internet en rachetant ANSnet[6] (février 1995), l'un des principaux réseaux Internet des Etats-Unis. De plus, AOL a fait l'acquisition de plusieurs entreprises offrant des services sur Internet, notamment WAIS[7]♦

---

1. <http://www.cren.net>.
2. Les *Bulletin Board Services* offrent des services de messagerie, de transfert de fichiers et de discussion à leurs utilisateurs. Ces derniers se connectent sur le serveur BBS (généralement un simple micro-ordinateur avec quelques modems) depuis leur PC par l'intermédiaire du réseau téléphonique.
3. <http://www.compuserve.com/>.
4. <http://www.pathfinder.com>.
5. <http://www.aol.com/>.
6. <http://www.ans.net>.
7. <http://www.wais.com>.

(mai 1995), Webcrawler[1], GNN[2] (juin 1995) et Ubique[3] (septembre 1995). America Online a également conclu plusieurs accords avec des grands groupes médiatiques (notamment le numéro deux mondial, le groupe allemand Bertelsmann, et le groupe Hachette Filipacchi).

C) *Delphi Internet.* — Delphi[4] Internet est une filiale du groupe News Corp. Ce réseau compterait environ 300 000 utilisateurs. MCI et News Corp. ont annoncé en août 1995 la création d'une filiale commune. Cette société sera l'une des entreprises issues de l'association d'un transporteur de données (MCI) et d'un fournisseur de contenu (l'empire médiatique de Rupert Murdoch, qui compte plusieurs grands journaux (le *Sun* en Angleterre, le *New York Post*, le *Times*, le *South Morning China, Today, Triangle*), des chaînes de télévision (*Fox* : le quatrième réseau américain, *BSkyB* en Angleterre, *Star TV* en Asie, *Zee TV* en Inde), des satellites (*Asiasat-1, BSkyB*), une société de cinéma (*20th Fox Century*), un éditeur (*Harper & Collins*), etc.). Cet accord dessine les prémisses des futurs géants qui régneront sur les autoroutes de l'information[5]. Ces conglomérats possèdent des participations dans des entreprises assurant le transport d'information (câble, réseaux, satellites) et dans celles possédant le contenu (presse, photo, cinéma, musées, sociétés de production artistiques).

D) *Prodigy.* — Prodigy[6] est une filiale d'IBM et de Sears créée en 1988 et longtemps numéro 1 aux Etats-Unis. Aujourd'hui Prodigy est devancée, mais aurait encore 1,4 million d'utilisateurs.

E) *InternetMCI.* — MCI[7] est une des grandes entreprises de télécommunication. Depuis longtemps, MCI offre des services de messagerie à ses grands clients (MCImail). En tant que transporteur de donnée, MCI véhiculerait environ 40% du trafic Internet mondial. Sa filiale InternetMCI[8] propose des accès au réseau. InternetMCI se joint à Delphi pour construire le troisième grand réseau de service en ligne américain.

F) *Microsoft Network.* — Le géant Microsoft a choisi 1995 et le lancement de sa nouvelle version de Windows pour s'implanter sur le marché des réseaux de services en ligne. Microsoft a mis en place le réseau MSN *Microsoft Network*[9]. Toute machine fonction-

---

1. <http://webcrawler.com/>.
2. <http://gnn.com>.
3. <http://www.ubique.com>.
4. <http://www.delphi.com>.
5. A ce sujet, voir [2].
6. <http://www.prodigy.com/> et <http://www.astranet.com/>.
7. <http://www.mci.com/>.
8. <http://www.internetmci.com/>.
9. <http://www.msn.com>.

nant sous Windows 95 et disposant d'un modem peut se connecter à ce nouveau réseau qui offre déjà des services de messagerie électronique, de transfert de fichiers, de discussion, ainsi que bon nombre de services commerciaux.

G) *Apple eWorld*. — eWorld[1] est le réseau de service en ligne d'Apple. A ce titre, il regroupe principalement des utilisateurs de Macintosh, en plus des employés d'Apple et des revendeurs de la marque. eWorld annonce 90 000 abonnés.

H) *Well*. — Le Well[2] est un fournisseur d'accès Internet fondé en 1985. Il est surtout connu pour ses groupes de discussion qui ont donné naissance à une véritable communauté virtuelle.

I) *Genie*. — Filiale de General Electric, Genie[3] (*General Electric Network for Information Exchange*) est un réseau à valeur ajoutée. Il véhicule principalement de l'EDI* entre des clients commerciaux. Genie aurait environ 500 000 utilisateurs.

J) *Télétel*. — Télétel est le nom du réseau vidéotex français mis en œuvre par France Télécom dès 1980. On accède à Télétel par l'intermédiaire d'un terminal qui fut distribué gratuitement aux ménages français, le Minitel. Aujourd'hui, Télétel compterait environ 20 millions[4] d'utilisateurs qui accèdent au réseau via 6,5 millions de Minitels et 600'000 micro-ordinateurs dotés d'un modem et d'un logiciel d'émulation de terminal vidéotex. Le Minitel ouvre l'accès à environ 25 000 services. En 1994, France Télécom a enregistré 110 millions d'heures de connexion Minitel. En 1987, France Télécom crée Intelmatique[5], filiale chargée de créer une passerelle* (MinitelNet) pour que le Minitel puisse être utilisé mondialement à travers Internet. MinitelNet a généré près de 1,4 million d'heures de connexion en 1994.

K) *IBM GlobalNetwork*. — Le réseau[6] d'IBM est un des principaux réseaux à valeur ajoutée. Il compterait 2 millions d'utilisateurs dans 25 000 entreprises, et 100 pays. IBM offre aujourd'hui des services Internet sur ce réseau. Warp, la dernière mouture d'OS/2, contenait les logiciels nécessaires pour se connecter à Internet via l'IBM Global Network, ce qui a ajouté de nombreux clients privés au réseau.

L) *AT&T ImagiNation Network*. — ImagiNation[7] est la filiale d'AT&T[8] fournissant des services en ligne et notamment des accès

1. <http://www.eworld.com/>.
2. <http://www.well.com/>.
3. <http://www.genie.com/>.
4. Source: Intelmatique, 1995.
5. <http://www.minitel.fr>.
6. <http://www.ibm.com/globalnetwork/>.
7. <http://www.imaginationnet.com/>.
8. <http://www.att.com/>.

Internet. AT&T propose des accès Internet en collaboration avec BBN Planet[1], sous la marque WorldNet[2].

M) *Sprint*. — Sprint[3] est un des grands transporteurs de données mondiaux. Il offre à ce titre des services à valeur ajoutée à ses clients. SprintLink est l'offre TCP/IP commerciale de Sprint qui connecte environ 1 200 organisations à l'Internet.

II. — Croissance du réseau

Internet est devenu en l'espace de 25 ans le plus grand réseau informatique du monde. Pourtant le nombre et la typologie de ses utilisateurs restent mystérieux.

1. Taille du réseau. — La question de l'évaluation du nombre réel d'utilisateurs d'Internet est sans réponse précise. Des enquêtes sont périodiquement menées pour évaluer le nombre d'ordinateurs reliés à Internet. L'évaluation réalisée en juillet 1995 recensa 6,5 millions de machines[4]. Pour obtenir le nombre d'utilisateurs, on le multiplie généralement par le chiffre moyen de 7 utilisateurs par machine (puisque certaines machines connectées peuvent gérer plusieurs dizaines d'utilisateurs), ce qui conduit aux estimations de 35 à 45 millions d'utilisateurs.

L'évaluation du nombre de machines devient de plus en plus difficile car de très nombreux sites sont protégés par des murs coupe-feu[5] (*firewalls*♦). Ces derniers masquent de nombreux réseaux et donc leurs utilisateurs. De plus, la détermination du nombre d'utilisateurs qui se connectent temporairement par modem est quasi impossible.

2. Croissance. — Aujourd'hui, la croissance d'Internet est exponentielle et nombreux sont ceux qui prédisent que cette croissance va continuer, voire s'accentuer. Les réserves d'accroissement sont multiples. La plupart

1. <http://www.bbnplanet.com/>.
2. <http://www.att.com/worldnet/>.
3. <http://www.sprint.com/>.
4. Source : *Network Wizards*, <http://www.nw.com>.
5. Voir page 101.

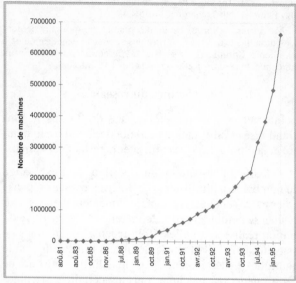

Fig. 1. — Evolution du nombre de machines connectées à
Internet (Source : Network Wizards, <http://www.nw.com>)

des entreprises disposent aujourd'hui de micro-ordinateurs qui demain seront communicants, au niveau local,
comme au niveau grande distance. La part des ménages
possédant un PC récent est encore relativement minori-
taire mais déjà, aux Etats-Unis, les ventes de
micro-ordinateurs dépassent celles des téléviseurs. Pour
ce qui est des machines, beaucoup pensent que limiter
Internet aux seuls ordinateurs est une erreur. Il est possible que dans quelques années, tous les équipements de
bureau (téléphone, fax, photocopieur), ménagers (four,
réfrigérateur, système domotique) et urbains (feu de
signalisation, caméra de surveillance, distributeur auto-
matique) deviennent capables de communiquer en
réseau. Des entreprises comme Novell proposent déjà
aux fabricants de fax, photocopieurs et distributeurs

automatiques une technologie appelée NEST[1] (*Novell Embedded Systems Technology*) capable de rendre ces équipements communicants et gérables à distance.

3. **Problèmes.** — La croissance un peu anarchique du réseau n'est pas sans poser certains problèmes.

A) *Pénurie d'adresses IP.* — Lorsque le schéma d'adressage Internet fut créé, personne ne pouvait imaginer que l'on viendrait si rapidement à manquer d'adresses. Les 32 bits permettent théoriquement d'adresser environ 4 milliards de machines. Néanmoins le mécanisme d'allocation de classes d'adresses fait qu'un grand nombre d'adresses ne sont pas utilisées. IPng* (*next generation*[2]) prévoit un adressage des machines sur 128 bits qui réglera la question du manque d'adresses.

B) *Baisse de performance.* — L'augmentation du nombre d'utilisateurs est si rapide que les réseaux eux-mêmes ne croissent pas assez vite pour supporter la croissance de la demande de bande passante. Le résultat se traduit par une diminution des performances. L'arrivée de capitaux privés permet de financer les nouveaux investissements en infrastructure de communication nécessaires pour faire face à la demande.

C) *Pollution des Usenet news.* — L'irruption des nouveaux utilisateurs sur les groupes de discussion Usenet* passe parfois par des heurts entre les anciens (« qui savent ») et les nouveaux (« qui ne savent pas encore »). Ces derniers postent en effet des articles sans rapport avec le sujet du groupe et sont alors victimes des *flames*[3].

---

1. <http://nest.novell.com/>.
2. Ou IPv6, la version utilisée actuellement étant la version 4 (IPv4).
3. Les *flame wars* sont des guerres d'injures qui ont lieu régulièrement dans les groupes Usenet.

4. Solutions ? — Pour répondre à la croissance du trafic, plusieurs approches sont mises en œuvre. La première consiste à augmenter la capacité de transport du réseau (achat de nouvelles lignes de transmission transatlantique par exemple). Il est également possible de créer de nouveaux serveurs miroirs. Lorsqu'un serveur FTP* ou WWW* américain est très sollicité par les Européens, il est possible d'en créer une copie en Europe, ce qui limite le trafic transatlantique. Les fournisseurs d'accès peuvent moduler leurs tarifs afin de répartir différemment les pointes de trafic. D'autres techniques comme la compression de données son déjà mises en œuvre (par exemple sur les sites FTP*).

On attend aussi beaucoup de la nouvelle version du protocole IP, IPng[1] ou IPv6, destinée à remplacer le protocole IPv4 actuellement utilisé. IPng prévoit le support des technologies de transmission à haut débit comme ATM* (*Asynchronous Tranfer Mode*) qui permettra de bénéficier de débits de 155 puis 622 Mbit/s (et plus). IPng sera doté de mécanismes permettant la diffusion d'information (*multicasting*), élément crucial pour le support d'application de vidéo à la demande. Cette diffusion est déjà testée à l'échelle mondiale sur le réseau expérimental *Multicast Backbone* (MBone). IPng prévoit plusieurs mécanismes de sécurité qui permettront de sécuriser les applications. IPng disposera d'un nouvel algorithme de routage qui inclura des critères de performance et de coût dans l'acheminement des données. Il autorisera également la réservation de bande passante, la négociation de qualité de service et supportera le travail en temps réel. La migration d'IPv4 vers IPng sera très souple puisque les réseaux IPng pourront véhiculer l'IPv4, et inversement. De plus IPng est conçu pour pou-

---

1. IPng est actuellement un *Proposed Standard*, défini dans la RFC-1752 [5].

voir fonctionner sur les réseaux courants comme FDDI*, Ethernet*, Token Ring, etc.

Le protocole IPng sera testé puis mis en œuvre dans les années 1996-1997.

III. — Commercialisation

La vague de commercialisation d'Internet a commencé dès 1991 avec la création du CIX (*Commercial Internet Exchange*) qui fait suite aux restrictions[1] posées par le NSFnet en matière de trafic Internet commercial [13]. En 1995, l'arrêt du NSFnet et son remplacement par une interconnexion de grands réseaux IP privés montrent qu'au niveau du transport d'information Internet s'est privatisé. La gestion du réseau est partiellement privatisée car elle est encore en grande partie réalisée par des organismes dans lesquels on trouve les gestionnaires des réseaux universitaires.

L'intégration des logiciels TCP/IP dans des systèmes d'exploitation commerciaux va dans le même sens. En outre, de nombreuses applications permettant l'accès aux services Internet sont aujourd'hui commerciales[2].

C'est au niveau de la fourniture de services à valeur ajoutée sur Internet que la commercialisation se fait le plus sentir. Le nombre d'entreprises[3] utilisant le réseau ou réalisant du commerce sur Internet (ou disposant d'une simple vitrine présentant ses produits et services) est en constante augmentation.

La commercialisation du réseau fait naître de nouveaux besoins qui pèsent sur l'évolution d'Internet (par

---

1. Pendant plusieurs années, le trafic véhiculé par le NSFnet devait être conforme à l'*Acceptable Use Policy*. L'AUP précise que le NSFnet a pour objectif de supporter la recherche et l'enseignement aux Etats-Unis. Il tolère la présence des entreprises commerciales travaillant avec les Universités et autorise également le trafic étranger, dans la mesure où il provient d'un réseau qui accepte celui du NSFnet.
2. Les exemples ne manquent pas de produits issus des universités et rachetés par le privé (c'est notamment le cas de Netscape ou Webcrawler).
3. Le chapitre IV présente en détail l'utilisation d'Internet par les entreprises.

exemple : facturation, sécurité, protection du droit d'auteur, etc.).

IV. — Internet et les autoroutes de l'information

Pour beaucoup, Internet préfigure ce que seront les autoroutes de l'information du XXIe siècle. Les autoroutes de l'informations nous promettent effectivement toute une série de services qui sont déjà totalement ou partiellement disponibles sur Internet.

V. — Conclusion

Après avoir exposé quelques points clés de l'histoire et de l'évolution d'Internet, le chapitre suivant présente les différents services et applications que l'on trouve sur Internet.

Chapitre III

SERVICES ET APPLICATIONS INTERNET

Le réseau Internet offre un vaste éventail de services à ses utilisateurs. Pour en bénéficier, il faut être relié au réseau et disposer de logiciels adéquats.

I. — Accéder aux services Internet

1. Accéder au réseau. — Pour accéder aux services Internet, il est nécessaire de disposer d'un accès au réseau, réalisé par l'intermédiaire d'un fournisseur d'accès Internet[1] (ISP, *Internet Service Providers*).

2. Disposer d'une implémentation TCP/IP.

Afin d'accéder à Internet, un ordinateur doit être capable de communiquer selon le protocole de communication TCP/IP*. Plusieurs possibilités s'offrent à l'utilisateur :

1. La plus simple est d'utiliser l'ensemble de logiciels TCP/IP proposé par les fournisseurs d'accès Internet. La plupart d'entre eux offrent une solution de base simple à installer et à configurer. De plus, en cas de problème, l'utilisateur pourra s'adresser au support technique du fournisseur d'accès.

2. La seconde alternative consiste à se procurer un des ensembles de logiciels TCP/IP du marché. Plusieurs entreprises proposent de telles solutions pour les plates-formes matérielles et logicielles courantes. Pour

---

1. Cf. page 7 pour le principe et page 115 pour les détails techniques et une liste de fournisseurs d'accès.

les ordinateurs compatibles IBM-PC, Novell par exemple, propose *LanWorkplace*.

3. La troisième possibilité est d'utiliser les applications TCP/IP intégrées en standard dans certains systèmes d'exploitation. IBM offre par exemple un kit d'accès Internet pour *Warp*. Microsoft *Windows 95* contient également des logiciels d'accès à Internet. Les systèmes Unix* disposent en standard des applications Internet de base.

4. La dernière possibilité consiste à se procurer directement sur Internet un des paquets[1] de logiciels disponibles sous forme de *freeware** ou de *shareware**.

Cette quatrième solution est réservée aux utilisateurs avancés. La première et la troisième solution sont les plus simples pour les utilisateurs de base. Les entreprises préféreront les solutions deux et trois puisqu'elles assurent une meilleure qualité de service.

3. **Disposer des applications TCP/IP.** — La plupart des offres de pile TCP/IP évoquées précédemment incluent certaines applications TCP/IP. Néanmoins, il est souvent avantageux de se procurer les applications directement sur Internet[2].

II. — **Emulation de terminal : Telnet**

1. **Définition.** — L'émulation de terminal désigne la possibilité de connecter un micro-ordinateur sur une machine distante en le faisant passer pour un terminal compatible avec cette machine. Cette application Internet est l'une des plus anciennes. A l'époque, l'architecture des systèmes informatiques était organisée selon le

---

1. Par exemple PC/TCP Packet Driver (développé à l'origine par l'Université de Clarkson), disponible via <http://www.crynwr.com:80/crynwr/>, ou Trumpet, disponible sur <ftp://ftp.trumpet.com.au/ftp/pub/winsock>.
2. Les références des applications présentées sont indiquées lorsqu'elles sont disponibles sur Internet. De nombreuses applications pour les Winsockets sont disponibles sur <ftp://winftp.cica.indiana.edu/pub/pc/win3/winsock>.

modèle maître / esclave. De nombreux terminaux sans capacité de calcul se connectaient sur un ordinateur central pour y exécuter des opérations. Aujourd'hui, les micro-ordinateurs disposent de capacité de calcul mais peuvent sans difficulté se faire passer pour un terminal non intelligent. Le protocole* d'application utilisé est le protocole *Telnet*[1].

Telnet donne à un ordinateur distant (serveur*) l'illusion que la machine cliente* est un terminal qui lui est directement connecté selon son mode de communication spécifique. Le logiciel client Telnet permet d'émuler plusieurs types courants de terminaux, notamment les IBM 3270[2], IBM 5250 (terminaux AS/400), DEC VT-100 ou VT-220.

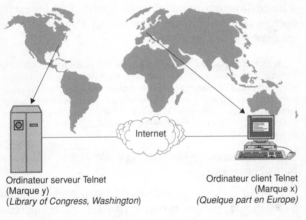

Ordinateur serveur Telnet
(Marque y)
(*Library of Congress, Washington*)

Ordinateur client Telnet
(Marque x)
(*Quelque part en Europe*)

Fig. 1. — Emulation de terminal

La globalité du support que constitue le réseau Internet permet d'utiliser Telnet pour se connecter aussi facilement sur des ordinateurs localisés dans le même bâtiment que sur des systèmes situés à l'autre bout du

1. *Terminal Emulation*, spécifié dans la RFC-854-855 / STD-8, [29], [30].
2. Noté tn3270 dans les URL* [3].

monde. La figure 1 présente un exemple de connexion Telnet entre un micro-ordinateur client (de caractéristiques x) situé en Europe et l'ordinateur serveur Telnet (de caractéristiques y différentes) de la Bibliothèque du Congrès à Washington[1].

2. **Applications.** — Telnet est très utilisé pour se connecter sur de gros ordinateurs (machines Unix, VAX, etc.). Les scientifiques, par exemple, exécutent des programmes nécessitant une grande puissance de calcul sur des machines distantes partagées. Les comptables peuvent recourir à Telnet pour se connecter sur l'ordinateur IBM AS/400 de l'entreprise afin d'utiliser le logiciel de comptabilité depuis leur micro-ordinateur. Une telle configuration permet de disposer sur une seule machine d'un environnement intégrant les applications bureautiques et la possibilité de travailler sur l'application de comptabilité de l'entreprise.

Telnet autorise la consultation de serveurs d'information comme les catalogues de nombreuses bibliothèques. Depuis n'importe quel ordinateur connecté à Internet, il est possible de se connecter sur le catalogue des bibliothèques cantonales et universitaires de Suisse romande. Pour cela, il suffit de se connecter sur `<telnet://sibil.unil.ch>` en émulation VT-220[2], comme l'illustre la figure 2.

3. **Avantages.** — Les avantages de Telnet sont nombreux et évidents :

- accéder à des informations à distance et de façon autonome sans contrainte spatiale ou temporelle (recherches bibliographiques à distance dans les dizaines de bibliothèques et bases de données médicales, juridiques ou économiques du monde entier),
- exécuter des opérations à distance et bénéficier ainsi de la puissance de calcul de la machine serveur Telnet

---

1. Voir `<http://www.loc.gov/>`.
2. Emulation IBM 3270 sur `<tn3270://sibil.unige.ch>`.

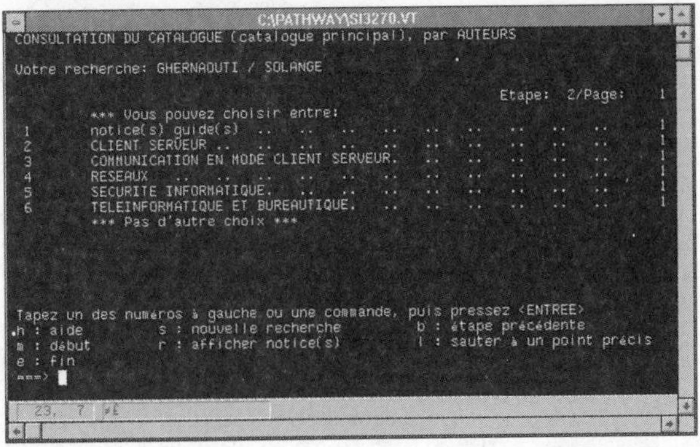

Fig. 2. — Exemple de session Telnet (ici Sibil)

(par exemple exécuter un calcul scientifique sur un super-ordinateur).

Pour simplifier, l'on peut dire que l'émulation de terminal est comparable au vidéotex◆ ou au *Minitel*◆ [1]. Le tableau 1 apporte quelques éléments de comparaison de ces systèmes.

4. **Inconvénients et limites.** — Telnet permet uniquement de travailler en mode texte (c'est-à-dire sans graphiques), ce qui est de moins en moins accepté par les utilisateurs habitués aux interfaces graphiques conviviales comme Windows. C'est pour cette raison que de nombreuses bibliothèques[2] qui offraient jusqu'à présent des services via Telnet les proposent aujourd'hui via W[3]◆. Ce dernier permet de travailler en mode graphique et de mettre à disposition des documents multimédias, par exemple des reproductions de livres anciens[3].

1. Il existe d'ailleurs une passerelle (payante) qui permet d'utiliser les services du Minitel en Telnet (voir <http://www.minitel.fr>).
2. Voir LIBCAT de Dana Noonan, <http://www.metronet.lib.mn.us/lc/lc1.html>.
3. Voir par exemple le serveur de la Bibliothèque cantonale universitaire de Lausanne <http://www.unil.ch/BCU> ou celui de la Bibliothèque nationale de France <http://www.culture.fr/culture/sedocum/bnf.htm>.

Tableau 1. — **Comparaison Vidéotex / Telnet**

Critères	Vidéotex - Minitel	Telnet
Couverture	Nationale	Mondiale
Coût d'utilisation	Elevé (voire très élevé)	Quasi-nul (pour l'instant)
Services (nombre)	Très nombreux pour le Minitel français, mais rares dans les autres pays.	Très nombreux
Services (nature)	En France, large palette comprenant des services à haute valeur ajoutée	Pour l'instant limitée à certaines catégories de services (bibliothèques, bases de données, etc.)
Fournisseurs de services	Entreprises	Organismes d'Etat (Universités, Ministères, etc.)
Interface homme-machine	Comparable (et peu conviviale)	
Rapidité	Très lent	Rapidité variable (mais en général beaucoup plus rapide que le vidéotex)

Certaines émulations (VT-100 par exemple) fonctionnent en ASCII* 7 bits, ce qui n'autorise pas l'affichage des caractères accentués. Les émulations IBM 3270 et IBM 5250 permettent de travailler en mode texte mais en couleur. Il existe certes des logiciels d'émulation de terminaux graphiques, mais la plupart sont commerciaux et onéreux (émulation VT-340).

Une des principales limites de Telnet est la non-standardisation des applications disponibles. De nombreuses bibliothèques sont accessibles par l'intermédiaire de Telnet, mais chacune possède son propre logiciel de consultation de catalogue, ce qui complique l'accès à l'information.

Par ailleurs, il est difficile de facturer l'utilisation des services. Ce problème de facturation est inhérent aux protocoles* utilisés actuellement sur Internet et n'est pas spécifique à Telnet.

III. — **Messagerie électronique**

1. **Définition.** — La messagerie électronique (*e-mail, electronic mail*) est le service minimum offert par tous les fournisseurs d'accès. La messagerie permet un échange *asynchrone*[1] de messages textuels entre deux ou plusieurs personnes connectées à Internet (ou à un des multiples réseaux reliés à Internet par une passerelle* de messagerie, comme *CompuServe**).

2. **Fonctionnement.** — Chaque utilisateur dispose d'une boîte aux lettres et d'une adresse électronique. Les boîtes aux lettres sont stockées sur des serveurs de messagerie. Ces derniers fonctionnent 24 h/24 et peuvent recevoir ou envoyer des messages en permanence.

Les messages Internet sont véhiculés sur le réseau selon un protocole de messagerie appelé SMTP[2] *Simple Mail Transfer Protocol*. Ce dernier définit les règles d'échanges de messages électroniques entre les serveurs SMTP terminaux (émetteur et récepteur de message) ainsi qu'entre les serveurs SMTP intermédiaires (relais).

Autrefois, les utilisateurs devaient se connecter en Telnet sur le serveur de messagerie pour y utiliser un logiciel peu convivial fonctionnant en mode texte. L'avènement du micro-ordinateur a entraîné la mise au point d'un protocole permettant de se connecter sur un serveur de messagerie afin de relever les messages stockés dans une boîte aux lettres. Lorsqu'un utilisateur souhaite consulter ses nouveaux messages (*mails*), il démarre son logiciel de messagerie qui se connecte

---

1. Cela signifie que les deux correspondants ne doivent pas être présents simultanément pour communiquer. Par opposition, le téléphone est un moyen de communication *synchrone*.
2. Voir RFC-821 [28].

automatiquement au serveur en utilisant le protocole POP[1] *Post Office Protocol* et ramène les nouveaux messages en local. La consultation s'effectue ensuite à l'aide de logiciels conviviaux (figure 3).

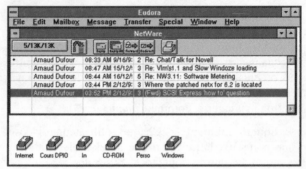

Fig. 3. — Logiciel de messagerie en mode graphique
(Eudora, de Qualcomm <http://www.qualcomm.com/>)

La figure 4 illustre le fonctionnement du système SMTP/POP. Pour l'envoi de messages sur Internet, l'application de messagerie utilise le protocole SMTP et se connecte donc au serveur[2] SMTP. Les messages reçus sur le serveur SMTP sont mémorisés dans les boîtes aux lettres. Lorsque l'utilisateur souhaite consulter ses messages, son application se connecte au serveur de messagerie en utilisant le protocole POP pour rapatrier les messages. Outre la convivialité de l'interface, les logiciels de messagerie utilisant le protocole POP permettent de réaliser des économies puisque les connexions sont réduites à leur minimum (réception et envoi).

3. **Anatomie d'un message électronique.** — Les messages électroniques qui circulent sur Internet ont une structure déterminée[3] (figure 5). Tout message

---

1. Voir RFC-1725 [33].
2. En général, les serveurs de messagerie sont à la fois serveur SMTP et POP.
3. Le format des messages Internet est spécifié dans la RFC-822 [8].

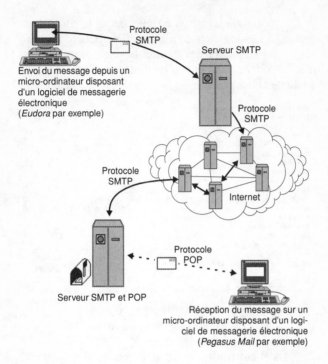

Fig. 4. — Schéma de fonctionnement de la messagerie Internet

commence par un en-tête (*header*) indiquant l'adresse de l'émetteur (*from*), celle du destinataire (*to*), le sujet du message (*subject*) ainsi que la date et l'heure du message. Le corps du message vient ensuite et est en général suivi par une *signature*, c'est-à-dire par quelques lignes indiquant le nom, l'adresse électronique et parfois l'adresse postale de l'émetteur. Certains ajoutent à cela des citations ou des dessins[1] réalisés avec des caractères ASCII*.

---

1. L'usage veut qu'une signature ne dépasse pas quatre lignes. Au-delà, la communauté Internet considère qu'il s'agit d'un gaspillage de ressources de transmission. Voir *Emily Postnews answers your Questions on Netiquette* [44].

Le sujet, indiqué sur une ligne, décrit le contenu du message. Les logiciels de messagerie affichent les messages en indiquant l'émetteur et le sujet, ce qui permet d'effectuer très rapidement un tri des messages que l'on souhaite consulter.

```
Return-Path: <Jacques.Dupont@hec.unil.ch>
Received: from uldns1.unil.ch by cisun200.unil.ch (5.0/Unil-3.1/)
         id AA11357; Tue, 4 Apr 1995 10:32:45 +0200
Received: from pcbf1-128b.unil.ch (actually pcbf1-128b) by uldns1
         with SMTP (PP); Tue, 4 Apr 1995 10:32:42 +0200
Message-Id: <9504040832.AA11357@cisun200.unil.ch>
X-Sender: jdupont@ulys.unil.ch
Mime-Version: 1.0
Date: Tue, 04 Apr 1995 10:34:34 +0100
To: Marcel.Dupuis@hec.unil.ch
From: Jacques.Dupont@hec.unil.ch (Jacques Dupont)
Subject: Lecture d'un fichier binaire Pascal depuis un pgm C
X-Mailer: <Windows Eudora Version 2.0.2>
X-Attachments: H:\RPASREC.CPP;
Content-Type: multipart/mixed; boundary="=========_797013274==_"
Content-Length: 2989
```
Entête (header)

```
Bonjour,
Le programme essai ci-joint est à tester

A bientôt, Jacques
```
Corps (body)

```
-----------------------------------------------------------
Jacques Dupont
e-mail : jacques.dupont@hec.unil.ch
```
Signature

Fig. 5. — Exemple de message électronique Internet

4. Us et coutumes. — Pour exprimer des éléments émotionnels difficiles à décrire dans le texte du message, il est fréquent d'utiliser des *smileys*[1]. Les *smileys* se lisent en tournant la tête de 90 degrés vers la gauche. Le symbole **:-)** signifie par exemple que le texte qui le précède est à lire sur un ton humoristique, le **;-)** est un clin d'œil, etc. Le style d'écriture ou d'expression utilisé dans les messages électroniques est généralement assez informel et direct. Lorsque l'on répond à un message en y ajoutant des remarques, les lignes du texte original sont souvent précédées du symbole « > », afin de les distinguer des commentaires.

---

1. Pour plus d'information sur les *smileys*, voir [38].

5. **Adresses électroniques.** — Indiquer son adresse électronique sur sa carte de visite devient aussi courant que d'indiquer son numéro de fax. Par analogie au courrier postal[1], toute personne ayant la possibilité de recevoir des messages électroniques dispose d'une adresse électronique (*e-mail address*).

Sur Internet, les adresses ont la forme générale *user@host*[2] (« nom d'utilisateur » @ machine). La machine est désignée par son *hostname*♦ Internet. Soit par exemple `jdupont@cisun200.unil.ch`.

Pour simplifier les adresses et les rendre plus lisibles (et plus stables dans le temps), de nombreux sites maintiennent des serveurs de noms♦ permettant d'utiliser le format d'adresse *name-of-the-user@domain*, en séparant le nom et le prénom par un point, soit par exemple `jacques.dupont@hec.unil.ch`.

De nombreux réseaux utilisent d'autres systèmes d'adressage électronique. Il existe des passerelles♦ qui effectuent la conversion des adresses entre un système et un autre[3]. Sur *CompuServe*♦, par exemple, tout utilisateur se voit attribuer un code (*userid*♦) composé de deux nombres séparés par une virgule (par exemple `1234,56789`). Pour envoyer un message électronique à cet utilisateur depuis Internet, il faut adapter l'adresse (en remplaçant la virgule par un point) et envoyer le message à `1234.56789@compuserve.com`. Il sera alors dirigé vers une passerelle Internet / CompuServe. Le tableau 2 indique les principales équivalences.

---

1. Souvent affublé du terme *snail mail*, « courrier escargot » par les internautes du fait de son extrême lenteur par rapport au courrier électronique.
2. Le symbole @ se lit « *at* », ce qui signifie « sur » (telle machine). En anglais, le point se lit « *dot* ».
3. Il existe une FAQ♦ consacrée exclusivement à ces questions de conversion d'adresses électroniques : Yanoff Scott, Chew John J. : *Inter-Network Mail Guide*, disponible sur <http://alpha.acast.nova.edu/cgi-bin/inmgq.pl>. Voir également [20] et [35].

Tableau 2. — **Conversion des adresses électroniques pour l'envoi de messages vers d'autres réseaux**

Depuis Internet vers	Format d'adresse à employer
America Online	utilisateur@`aol.com`
Applelink	utilisateur@`applelink.apple.com`
ATTMail	utilisateur@`attmail.com`
Bitnet	utilisateur@host.`bitnet`
Compuserve	numéro.utilisateur@`compuserve.com` (remplacer la virgule par un point)
FidoNet	utilisateur@host.`fidonet.org`
MCIMail	numéroutilisateur@`mcimail.com` (enlever le tiret)
Prodigy	utilisateur@`prodigy.com`
UUCP	utilisateur@host.`uucp`

6. **Fonctions des logiciels de messagerie.** — En plus de la création et de la consultation de messages, les logiciels de messagerie permettent par exemple :

- de consulter, imprimer et enregistrer les messages reçus,
- d'envoyer un message à une ou plusieurs personnes (pour diffuser de l'information),
- d'envoyer des copies d'un message à un (ou des) tiers (*cc, carbon copy*[1]),
- de faire suivre un message reçu en y ajoutant éventuellement des commentaires (*forward*),
- de rediriger un message (*redirect*),
- de classer automatiquement les messages reçus en fonction de certains critères, par exemple le nom de l'émetteur (*filter*, filtre).

1. On peut aussi envoyer des copies à plusieurs personnes sans que ces dernières aient connaissance des autres destinataires. On nomme cela *bcc, blind carbon copy*, c'est-à-dire copie carbone aveugle.

Cette dernière fonction peut être étendue jusqu'à supporter des applications de *groupware*♦. Le logiciel de messagerie Eudora pour Macintosh (Qualcomm) s'intègre avec le langage de programmation du Macintosh (*AppleScript*). Il est donc possible de créer des programmes (agents) qui seront activés sur réception de certains messages.

7. **Attachement de documents.** — Les logiciels récents permettent d'envoyer des fichiers informatiques avec les messages. Il est possible d'*attacher* un document créé avec n'importe quelle application informatique (par exemple *Microsoft Word*[1]) à un message électronique. Le document est généralement compressé avant d'être envoyé avec le message électronique. Lors de la réception, le destinataire est averti que le message contient un document attaché. Il doit alors ouvrir l'application qui a servi à créer le document attaché pour le consulter. Dans cet exemple, le destinataire doit disposer de *Microsoft Word* pour consulter le document. Si tel n'est pas le cas, il peut recourir à un logiciel permettant de visualiser un document au format *Word*, comme le *Word Viewer*[2]. L'inconvénient des visualiseurs est qu'ils ne permettent pas de retravailler le document, puisqu'ils ne peuvent qu'afficher ou imprimer un document. La troisième possibilité consiste à utiliser un logiciel capable d'importer (c'est-à-dire de convertir) les documents au format de l'application d'origine. Dans notre exemple, il serait possible de convertir le document *Word* à l'aide de *Novell WordPerfect*. La possibilité de réaliser des attachements est essentielle car elle permet d'échanger rapidement des fichiers informatiques. Les documents reçus sont identiques aux originaux et ne doivent pas être ressaisis.

1. Ou avec n'importe quel autre logiciel. Il est possible d'envoyer tout fichier (fichier Postscript, fichier Excel, fichier CorelDraw!, etc.).
2. <http://www.microsoft.com/msoffice/freestuf/msword/index.htm>

La structure des messages Internet comportant des documents attachés est spécifiée par le *draft standard* MIME *Multipurpose Internet Mail Extensions*[1]. Le support de MIME est un critère important lors du choix d'un logiciel de messagerie puisqu'il garantit la possibilité d'échanger des messages électroniques comportant des éléments multimédias.

Le tableau 3 dresse un comparatif des principaux avantages et inconvénients des systèmes d'envoi de documents.

Tableau 3. — **Comparaison Poste-Télécopie-Messagerie**

Critères	**Poste**	**Télécopie**	**Messagerie**
Vitesse	Lent à très lent	Assez rapide (sauf pour les longs documents)	Quasi instantané
Couverture	Maximale	Très large	Encore limitée
Sécurité	Moyenne	Moyenne	Faible (excellente si cryptage)
Preuve juridique	Si envoi en recommandé	En cours de validation	Non (future si authentification)
Coût	Très élevé	Assez faible	Minime
Qualité	Haute	Assez mauvaise	Parfaite (puisque le document original est envoyé)
Re-saisie	Eventuellement (sauf si envoi de disquette)	Nécessaire (semi automatisable par OCR*)	Inutile
Formalisme	Important	Moyen	Limité

8. Trouver l'adresse d'un correspondant. — Le moyen le plus simple pour se procurer l'adresse électronique de quelqu'un est encore de la lui demander directement (lors d'une rencontre ou d'une conversation télé-

---

1. La spécification de MIME comporte deux parties ([4] et [24]). Pour plus d'informations sur MIME, consulter la FAQ* de Jerry Sweet, « *Answers to Frequently Asked Questions about MIME* », <ftp://rtfm.mit.edu/pub/usenet-by-group/news.answers/mail/mime-faq/>.

phonique). Il existe néanmoins plusieurs possibilités pour trouver l'adresse d'une personne sur Internet. De nombreux sites maintiennent un annuaire électronique dont les « pages blanches[1] » (*white pages*) sont accessibles via différents outils comme Telnet♦, Gopher♦ ou WWW♦. En Europe, certains annuaires sont conformes à la norme internationale X.500[2].

9. **Messagerie et sécurité.** — La sécurité de la messagerie sur Internet est souvent mise en cause. Les messages électroniques circulant sur le réseau ne sont généralement pas cryptés, ainsi tout administrateur d'une machine relayant des messages peut les consulter. Pour protéger les applications commerciales qui exigent un haut niveau de sécurité, il existe des outils permettant d'encrypter[3] les messages électroniques.

PEM[4] *Privacy-Enhanced Mail* répond à ce besoin en offrant la confidentialité des messages, l'authentification, l'assurance de l'intégrité des messages et la non-répudiation de leur origine. PEM peut utiliser plusieurs systèmes de cryptage symétrique (clés secrètes) ou asymétrique (clés privée et publique). Parmi les systèmes utilisables avec PEM on trouve les DES♦ (*Data Encryption Standards*) et le RSA♦[5] (*Rivest, Shamir, et Adleman*).

Ces systèmes de cryptage sont brevetés et partiellement interdits à l'exportation hors des Etats-Unis. Ces restrictions et la relative complexité de ces technologies ont longtemps laissé le cryptage hors de portée des utilisateurs privés. Philip Zimmermann a

---

1. Par opposition aux annuaires « pages jaunes » (*yellow pages*) qui recensent les entreprises et les services.

2. Cette norme complète la norme internationale ITU♦ X.400♦, qui définit une architecture de messagerie électronique, dans la mesure où elle contribue à la gestion des noms et des adresses manipulées par l'application de messagerie. Cette architecture est implantée dans certains produits et un assez grand nombre de sites (principalement en Europe) disposent de messagerie X.400. Ces sites maintiennent souvent une passerelle♦ vers Internet.

3. La France est un des rares pays (avec la Russie et l'Irak) dans lequel une autorisation est nécessaire pour pouvoir utiliser la cryptographie. Celle-ci doit être demandée au SCSSI (Service central de la Sécurité des Systèmes Informatiques) [14]. L'usage de PGP y est donc théoriquement soumis à autorisation de la SCSSI.

4. RFC-1421 à 1424 : [21], [18], [1] et [16].

5. RSA travaille sur le futur protocole S/MIME destiné à sécuriser les messages électroniques conformes au format MIME. Voir <http://www.rsa.com/rsa/S-MIME/>.

modifié tout cela avec son logiciel PGP *Pretty Good Privacy*. Ce dernier est disponible gratuitement[1] sur Internet et met le cryptage à portée de tous. PGP est fondé sur un cryptage asymétrique à clés publique et privée. Tout utilisateur de PGP dispose d'une clé de décryptage privée (secrète et d'ailleurs elle-même encryptée) avec laquelle il génère une clé d'encryptage publique (qui n'est pas secrète puisqu'il est impossible de générer la clé privée à partir de la clé publique). Lorsque quelqu'un souhaite envoyer un message il l'encrypte avec la clé publique du destinataire. Ce dernier pourra décrypter le message à l'aide de sa clé privée. L'émetteur est alors certain que *seul* le destinataire pourra lire le contenu du message envoyé.

PGP permet également de signer électroniquement les messages envoyés. Lorsque l'émetteur d'un message le signe avec sa clé d'encryptage privée, PGP ajoute une signature codée à la fin du message électronique. Le destinataire du message peut alors vérifier à l'aide de la clé publique de l'émetteur que c'est bien lui qui a envoyé le message et que son contenu n'a pas été modifié.

Pour que le système se généralise il est nécessaire de se procurer la clé publique de quelqu'un sans forcément le rencontrer physiquement et en ayant tout de même un moyen de savoir que c'est bien *sa* clé. Pour cela, on recourt au mécanisme de la signature de clé publique. Lorsque A signe la clé de B, il certifie que c'est bien la clé de B. Toute personne connaissant la clé publique de A sait que la clé de B est bien celle de B. Il est alors possible de mettre en place des chaînes de confiance (*chains of trust*) qui permettent de renforcer la sécurité des clés publiques.

IV. — **Transfert de fichiers : FTP**

FTP *File Transfer Protocol*[2] permet d'établir une connexion temporaire entre deux machines pour transférer des fichiers entre elles. Le transfert de fichier est à distinguer du partage de fichier. NFS *Network File System*[3] est un protocole Internet qui autorise le partage de disques durs entre machines[4].

---

1. Voir la FAQ* de <news:alt.security.pgp>, maintenue par Gary Edstrom.
2. Le protocole FTP est spécifié dans la RFC-959, STD-9, [31].
3. NFS est un protocole développé par *Sun Microsystems, Inc.* dont les spécifications ont été mises à disposition de la communauté Internet dans la RFC-1094, [25].
4. Les réseaux locaux (*Novell NetWare* par exemple) offrent un service de partage de fichiers puisque les stations du réseau peuvent utiliser les disques du serveur de fichiers en créant des disques virtuels (souvent dénommés *mappings*, du nom de la commande utilisée pour les créer (map)).

Un ordinateur client NFS peut *monter* un disque d'un ordinateur serveur NFS. Cette opération crée un *disque virtuel* sur la machine cliente lui donnant l'*illusion* qu'elle possède un disque dur supplémentaire. Les utilisateurs de la machine cliente emploient le disque virtuel de façon transparente, c'est-à-dire comme un disque réel. En général, le disque reste monté pendant une longue durée (voire en permanence). Avec FTP, l'approche est différente puisque l'on établit une connexion temporaire avec un serveur distant dans le but de rapatrier (*download, get*) ou d'envoyer (*upload, put*) des fichiers (figure 6). Une fois le(s) transfert(s) effectué(s), l'utilisateur termine la *session* FTP.

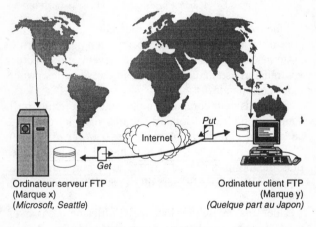

Ordinateur serveur FTP
(Marque x)
(*Microsoft, Seattle*)

Ordinateur client FTP
(Marque y)
(*Quelque part au Japon*)

Fig. 6. — FTP - Transfert de fichiers

1. **Déroulement d'une session.** — La figure 7 illustre le déroulement d'une session FTP. Cette dernière est initialisée par le logiciel client FTP auquel on donne en paramètre l'adresse• de la machine serveur FTP sur laquelle on souhaite se connecter (ftp olys.unil.ch). La machine serveur demande alors le nom de l'utilisa-

teur (*username, login, login name*), ici jdupont, ainsi
que son mot de passe (*password*).

```
C:\TEMP>ftp olys.unil.ch
Connected to olys.unil.ch.
220 ul900.unil.ch MultiNet FTP Server/Mon 12-06-95 3:50PM-MET-DST
User (olys.unil.ch:(none)): jdupont
331 User name (jdupont) ok. Password, please.
Password:xxxxxxxx
230 User JDUPONT logged in at Mon 12-Jun-95 3:51PM-MET-DST
ftp> bin
200 Type I ok.
ftp> get plan.txt
200 Port 4.173 at Host 130.223.91.51 accepted.
150 IMAGE retrieve of $ACAB0:[JDUPONT]PLAN.TXT;1 started.
226 Transfer completed.  684 (8) bytes transferred.
684 bytes received in 0.00 seconds (684000.00 Kbytes/sec)
ftp> bye
221 QUIT command received. Goodbye.
C:\TEMP>
```

Fig. 7. — Exemple de déroulement d'une session FTP

Une fois l'authentification effectuée, l'utilisateur dispose d'un jeu de commandes permettant de parcourir le
système de fichiers de la machine serveur et d'effectuer
les transferts souhaités. Le tableau 4 résume les principales commandes FTP.

Si l'utilisateur connaît l'emplacement du fichier qu'il
souhaite rapatrier, il lui suffit d'aller dans le répertoire
adéquat à l'aide de la commande cd (*change directory*).
S'il ne sait pas où se trouve le fichier, il doit le chercher
plus ou moins au hasard (mais avec bon sens ![1]) ou
rapatrier la liste des fichiers du site ou d'un répertoire du
site[2].

Une fois le fichier localisé, l'utilisateur passe en
mode binaire (bin) puis donne l'ordre de le rapatrier

1. La structure des systèmes de fichiers de serveurs FTP est très semblable d'un
site à un autre. Le répertoire /pub contient généralement les fichiers publics, le
répertoire /doc des fichiers d'information. Le répertoire /incoming est destiné à
recevoir des fichiers de la part des clients FTP. En principe le nom des autres réper-
toires est relativement parlant (dans le cas contraire, tenter de trouver des fichiers
d'explication à lire).
2. Il n'existe malheureusement pas de nom standard pour ces listes. On trouve
donc un peu de tout, notamment INDEX, 00INDEX.TXT, DIR-LIST.TXT,
allfiles.txt, etc. La majorité des sites proposent des fichiers d'explication (là
aussi on rencontre plusieurs noms comme read.me, readme.first,
message.txt, etc.).

(`get plan.txt`). Lorsque le fichier est téléchargé, l'utilisateur peut terminer la connexion FTP par la commande `quit` (ou `bye`), ou continuer à transférer d'autres fichiers.

Tableau 4. — **Principales commandes FTP**

Commande	Objet
cd	changer le répertoire par défaut de la machine distante (Attention, les machines Unix serveurs FTP sont sensibles à la casse (majuscules et minuscules))
bin asc	passer en mode de transfert binaire ou ASCII*, (le mode binaire est conseillé)
get	télécharger un fichier depuis la machine serveur (*download*)
put	télécharger un fichier vers la machine serveur (*upload*)
mget mput	téléchargement de plusieurs fichiers (à utiliser avec les caractères génériques * et ?)
pwd	indique le répertoire courant sur la machine serveur
lcd	change le répertoire courant de la machine cliente

2. *Anonymous* **FTP.** — De nombreux sites serveurs FTP[1] acceptent les connexions anonymes (*anonymous FTP*). Nul ne peut évaluer la quantité de fichiers disponibles sur ces sites (probablement plusieurs centaines de giga-octets). Certains serveurs sont très spécialisés et regroupent des fichiers liés à un sujet, un domaine d'activité ou un système d'exploitation, d'autres sont généraux et contiennent une grande variété de fichiers. Le tableau 5 donne quelques adresses de sites *anonymous* FTP importants.

Ces sites sont publiquement accessibles, puisque l'on s'y connecte avec le nom d'utilisateur `anonymous`. Le serveur demande alors un mot de passe. A l'origine, il

---

1. Perry Rovers maintient la FAQ *Anonymous FTP*, postée régulièrement sur <news:news.answers>. Il existe aussi une (longue) liste des sites acceptant les connexions *anonymous ftp* <ftp://nic.switch.ch/file_server/FTP/site-list/part*>.

était d'usage de se connecter avec le *password* générique guest, aujourd'hui l'on utilise par convention son adresse de messagerie électronique[1]. En principe le site autorise immédiatement la connexion, à moins qu'il ne soit surchargé[2], auquel cas il affiche un message indiquant que le nombre maximal de connexions est atteint, et propose à l'utilisateur de tenter de se connecter ultérieurement.

Tableau 5. — **Quelques sites anonymous FTP**

Quelques sites FTP	
ftp.cica.indiana.edu	sunsite.unc.edu
rtfm.mit.edu	ftp.doc.ic.ac.uk
wcarchive.cdrom.com	ftp.informatik.tu-muenchen.de
garbo.uwasa.fi	nic.funet.fi
ftp.irisa.fr	ftp.univ-lyon1.fr

Les principaux serveurs *anonymous* FTP sont situés aux Etats-Unis. Pour éviter de surcharger les lignes transatlantiques et offrir un meilleur temps de réponse aux utilisateurs, les fichiers des principaux sites sont recopiés sur des serveurs situés en Europe ou en Asie. Ces derniers sont nommés *serveurs miroirs* (*mirrors*) puisqu'ils reflètent les sites originaux. Ces serveurs sont automatiquement mis à jour (chaque nuit).

1. Toutes les opérations effectuées par les utilisateurs sur un site anonymous FTP sont enregistrées dans des fichiers de trace (*log files*) qui servent à établir des statistiques d'utilisation des serveurs. En cas de nécessité, l'administrateur d'un site FTP peut aussi souhaiter joindre des utilisateurs en utilisant les adresses de messagerie qu'ils ont données comme mot de passe (par exemple s'il s'avère qu'un fichier qu'ils ont rapatrié contient un virus).
2. Pour effectuer des transferts de fichiers entre l'Europe et les Etats-Unis, il est préférable de se connecter le matin. Pour l'Europe, l'idéal est de travailler en dehors des heures de bureau. Le réseau et les sites FTP sont également beaucoup moins chargés le week-end. Ajoutons que l'utilisateur a tout avantage à tenter de respecter de tels horaires puisque les transferts seront plus rapides (et les factures de téléphone allégées, par la rapidité du transfert et les éventuels tarifs réduits pratiqués par les compagnies de téléphone).

De nombreuses entreprises informatiques (Micro-soft[1], IBM[2], Novell[3], etc.) utilisent ce moyen (parmi d'autres) pour mettre des informations, des correctifs logiciels (*patches*) ou des mises à jour (*updates*) ou des informations à disposition de leur clientèle.

3. Archie. — Archie est un système auquel on accède en émulation de terminal (Telnet♦) ou à l'aide d'un client Archie. Il recense les fichiers stockés sur des sites *anonymous* FTP♦ et permet d'effectuer des recherches afin de localiser un fichier (environ 1 000 sites et 2 millions de fichiers). Le tableau 6 indique quelques adresses de serveurs d'archives[4].

Tableau 6. — **Quelques serveurs Archie**

Adresses	
`archie.funet.fi`	`archie.ans.net`
`archie.doc.ic.ac.uk`	`archie.internic.net`
`archie.switch.ch`	

Pour effectuer une recherche, il faut se connecter sur le serveur Archie en Telnet avec le nom d'utilisateur `archie`. Pour rechercher un fichier, il faut exécuter la commande `prog nom_du_fichier`. Après un temps de recherche (parfois un peu long), le système renvoie une liste de fichiers.

Pour l'instant les serveurs Archie ne référencent que les fichiers stockés sur des serveurs FTP♦ fonctionnant sous Unix♦. De plus, il est tout à fait possible que deux serveurs renvoient des réponses différentes pour une même recherche puisqu'ils ne recensent pas tous les fichiers des mêmes serveurs FTP.

4. Formats et compression des fichiers. — Afin de gagner de la place sur les serveurs FTP et de limiter la quantité d'informations transportée par le réseau Inter-

---

1. `<ftp://ftp.microsoft.com>`.
2. *IBM Personal Computer Company* : `<ftp://ftp.pcco.ibm.com/>`.
3. `<ftp://ftp.novell.com>` aux Etats-Unis et `<ftp://ftp.novell.de>` en Allemagne.
4. Sur chacun des sites, la commande `servers` donne la liste des serveurs d'archives.

net, la plupart des fichiers stockés sont compressés. Il existe un grand nombre de formats de compression. En théorie, l'extension du nom du fichier permet de déterminer son type de compression. Le tableau 7 recense les formats les plus courants et indique pour chacun l'extension correspondante et le nom du logiciel permettant de compacter/décompacter de tels fichiers[1].

Tableau 7. — **Principaux formats de compression**

Extension	Application
.arc	ARChive
.arj	Arj (DOS)
.hqx	HQX (équivalent Mac de uuencode)
.lzh	LHa, LHarc, Larc
.sit	Stuff-It (Mac)
.tar	Tape ARchive (Unix)
.uu/.uue	uuencode/uudecode
.gz/.gzip	GNU Zip
.z	compress (souvent combiné à compress en .tar.z)
.zip	Zip (PKZip/PKUnzip, ZIP/Unzip, WinZip)
.zoo	Zoo

Certains fichiers sont aussi disponibles sous forme auto décompactable[2]. Ces derniers possèdent une extension .exe (ou .com) et se décompactent eux-mêmes lorsqu'ils sont exécutés. Ils sont plus simples à utiliser, mais dépendent de la plate-forme d'exécution et peuvent véhiculer des virus* (et contaminer un ordinateur lors du décompactage).

De nombreux logiciels gratuits de compression/décompression sont disponibles pour les pla-

---

1. J.-L. Gailly maintient la FAQ* du *newsgroup* <news:comp.compression>, disponible sur <ftp://rtfm.mit.edu:/pub/usenet/news.answers/compression-faq/part[1-3]>.

2. Le logiciel zip2exe.com permet de transformer un fichier .zip en fichier .exe auto décompactable.

tes-formes courantes (PC, Mac, Unix) sur la plupart des grands sites FTP anonymes.

Un fichier décompacté ne peut être utilisé que si l'on dispose d'une application capable de reconnaître son format[1] (cf. tableau 8).

Tableau 8. — **Principaux formats de fichiers**

Extension	Format	Application ou visualiseur
.txt	Texte	Editeur de texte
.doc	Texte formaté	Microsoft Word
.ppt	Présentation	Microsoft PowerPoint
.ps/.eps	PostScript	Imprimante ou visualiseur PostScript (par exemple GhostView)
.pdf	Acrobat	Visualiseur Adobe Acrobat
.htm .html	HTML	Visualiseur HTML (Mosaic ou Netscape par exemple)
.jpg	Image JPEG	Visualiseur JPEG
.gif	Image GIF	Visualiseur GIF

5. **Clients FTP en mode graphique.** — Les logiciels clients FTP en mode texte disparaissent au profit des logiciels utilisant une interface graphique (figure 8). Sous Windows, il existe plusieurs clients FTP commerciaux inclus dans les paquets de logiciels TCP/IP. Il est également possible de se procurer des clients FTP disponibles en *shareware** sur Internet.

V. — **Usenet** *News*

Les Usenet *News* (parfois nommées *NetNews* ou *News*) forment un monde unique et sont à l'origine des communautés virtuelles et de la cyberculture.

---

1. La problématique est similaire à celle déjà expliquée pour les fichiers attachés à des messages électroniques, page 53.

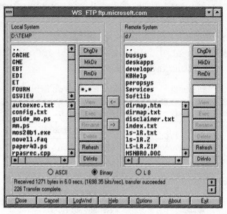

Fig. 8. — WS-FTP, exemple de client FTP en mode graphique (de John A. Junod, <http://www.csra.net/junodj/>)

1. Définition et organisation. — Salzenberg et Spafford définissent Usenet comme « *a world-wide distributed discussion system* »[37], c'est-à-dire un système de discussion mondial et distribué.

Usenet consiste en un ensemble de *newsgroups* thématiques organisés selon leur sujet suivant une structure hiérarchique[1] (tableau 9).

Usenet permet d'échanger des idées, des expériences, des conseils ou des points de vues, en abolissant les barrières hiérarchiques, géographiques, temporelles, concurrentielles, etc. Usenet génère un nouveau type de relation entre des personnes qui ne conversent à un instant donné que parce qu'elles ont un intérêt commun. Il existe à ce jour environ 8 000 *newsgroups* (le nombre ne

---

1. A l'origine, les *newsgroups* de Usenet étaient classés selon une structure hiérarchique ne possédant que deux niveaux supérieurs : mod et net. Les *newsgroups* classés sous mod étaient modérés. Pour répondre à la croissance des *newsgroups*, une réorganisation complète de la structure de Usenet est proposée en 1986. Il fallut plusieurs mois et de nombreuses discussions pour faire évoluer Usenet et réorganiser tous les *newsgroups* selon une structure à sept branches : comp, misc, news, rec, sci, soc et talk.

Hiérarchie	Thème des newsgroups	Exemples
comp.	Informatique	comp.os.netware.security comp.infosystems.www.announce comp.lang.pascal.borland
misc.	Divers	misc.forsale.computers
news.	Usenet	news.admin.net-abuse.announce
rec.	Loisirs	rec.pets.cats
sci.	Sciences	sci.med.dentistry
soc.	Société	soc.culture.french
talk.	Discussions	talk.abortion
alt.	Alternatif	alt.fan.madonna alt.sex.stories
clari.	ClariNet	clari.nb.telecom
fr. ch. de.	Hiérarchies régionales	fr.petites-annonces.immobilier fr.rec.cuisine fr.jobs.offres

cesse d'augmenter) traitant des sujets les plus divers (recherche scientifique, informatique, cinéma, culture, société, sans parler de la partie « rose » du système).

Tout utilisateur qui a accès aux groupes de discussion en consulte les *articles*. Ils sont semblables à des messages électroniques et peuvent contenir du texte mais aussi des images (ou n'importe quel autre type de fichier informatique) pour peu que ces dernières soient encodées[1]. L'utilisateur peut *poster* un nouvel article dans un groupe, c'est-à-dire publier un message. Si le groupe est à diffusion mondiale, l'article sera visible dans tous les sites de Usenet (après un certain délai[2]).

---

1. Les fichiers attachés à des articles sont le plus souvent encodés en format uuencode. La plupart des logiciels de consultation des *news* permettent de les décoder automatiquement.
2. Les *news* se propagent assez rapidement. En général un article posté met moins de 24 heures pour se répandre sur la totalité de Usenet.

Lorsque l'on consulte les *news*, il est possible de répondre à un article en envoyant un message électronique à l'auteur (*reply*, réponse privée), ou encore de poster une réponse publique dans le *newsgroup* (*follow-up*).

Certains groupes sont *modérés*, c'est-à-dire que tout article doit être au préalable envoyé au *modérateur* qui approuvera l'article et le diffusera éventuellement. Ces groupes ont généralement un trafic faible et contiennent des messages de qualité supérieure. On dit qu'ils possèdent un meilleur rapport *information / bruit*[1].

2. Fonctionnement. — Usenet est basé sur une architecture client-serveur sous-tendue par le protocole de communication NNTP *Network News Transport Protocol*[2]. Chaque site souhaitant recevoir les *news* doit se rattacher à un site existant. Les sites principaux constituent le *Usenet backbone*. On estime à environ 200 000 le nombre de sites recevant les Usenet *news*. Un utilisateur qui souhaite consulter les *news* doit disposer d'un fournisseur qui offre un serveur de *news*[3]. Il suffit alors d'utiliser un logiciel client *news*, en mode texte ou en mode graphique (figure 9).

Usenet véhicule également des informations payantes. ClariNet[4] est une entreprise qui propose, moyennant un faible abonnement, des dépêches d'agences transmises par l'intermédiaire de Usenet.

Le processus de création des nouveaux *newsgroups*[5] est régi par un mécanisme[6] de proposition, discussion et approbation par vote électronique. Les projets de nouveaux groupes sont décrits

---

1. Le terme *bruit* désigne la pollution informationnelle générée par les messages inintéressants (questions inutiles ou hors sujet, tests, guerres d'insultes, etc.).

2. NNTP est spécifié dans la RFC-977 [17].

3. Pour savoir comment devenir un tel site, consulter la FAQ* « *How to Become a Usenet Site* » de Jonathan Kamens et Chris Lewis.

4. Pour plus d'information sur ce service, voir <http://www.clari.net/>.

5. La liste des nouveaux *newsgroups* fait l'objet d'une FAQ* régulièrement postée par David C Lawrence dans <news:news.announce.newgroups>.

6. Ce mécanisme est expliqué dans la FAQ* « *Guidelines for Usenet group creation* », de David C Lawrence.

dans les RFD (*Request For Discussion*). Une RFD indique la motivation du créateur du futur groupe, le positionnement par rapport aux groupes existants, ainsi que les sujets qui y seront discutés. Plusieurs RFD peuvent se succéder. Vient ensuite le temps du vote, le CFV (*Call For Vote*) est posté sur les *news*. Les utilisateurs votent par messagerie électronique. Pour qu'un groupe soit créé, il doit recevoir au moins 100 votes OUI de plus que les NON et au moins deux tiers de OUI. Ce mécanisme est un exemple du fonctionnement « démocratique » d'Internet. Aucune autorité centrale ne décide de la création d'un *newsgroup*, ce sont les utilisateurs eux-mêmes qui perçoivent l'opportunité de création d'un groupe ou d'une structure. Ils en discutent sur le réseau jusqu'à aboutir à un consensus sur la dénomination et le thème du ou des groupe(s) à créer. Le vote de la communauté sanctionne ce processus.

3. **Netiquette.** — L'absence de contrôle centralisé sur Usenet est palliée par une forme d'auto-contrôle faisant référence à des règles de comportement (la *NETiquette*). La NETiquette[1] conseille d'abord de toujours consulter la FAQ (*Frequently Asked Questions*) d'un groupe avant d'y poster une question. Ce document regroupe les réponses aux questions posées très (trop) souvent. Les FAQs sont régulièrement[2] postées sur chaque groupe.

Ensuite, il faut s'assurer que l'article posté est bien en rapport avec le sujet de discussion du groupe (suivre les discussions du groupe pendant une quinzaine de jours avant de poster un message). Cette dernière remarque est particulièrement importante pour les messages de tests qui doivent être postés sur des groupes spécifiques[3].

Il est possible de poster un article dans plusieurs

1. Voir à ce sujet l'excellente FAQ* de Brad Templeton sur les NETiquettes [44], ainsi que [46]. Consulter aussi la RFC-1855, FYI-28.
2. En général tous les quinze jours ou une fois par mois. Les FAQs sont également postées dans des groupes spécifiques qui ne contiennent que des FAQs (notamment <news:news.answers>, ainsi que <news:comp.answers> pour la hiérarchie comp. (informatique), etc.).
3. Par exemple <news:alt.test>. Des machines renvoient des réponses automatiques lorsqu'un article est posté dans ce genre de groupe, ce qui permet de vérifier que le message a bien été propagé sur Usenet.

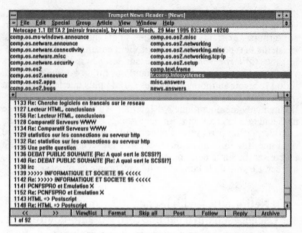

Fig. 9. — Client *news* en mode graphique (Trumpet, <ftp://ftp.doc.ic.ac.uk/packages/windows3/win-sock/wtwsk10a.zip>)

groupes simultanément (*cross-posting*). Dans ce cas les articles sont identiques et lorsqu'un utilisateur en lit un exemplaire, les autres apparaissent également comme lus. En revanche, si l'on poste plusieurs fois le même article dans des groupes différents, le logiciel client ne peut détecter qu'il s'agit du même message, d'où une perte de temps pour le lecteur qui relit des messages qu'il a déjà consultés.

L'auteur d'un article veillera également à formuler son message très clairement (sujet, style, complétude, orthographe, etc.). Dans tous les cas, la règle absolue est de réfléchir à deux fois avant d'appuyer sur le bouton « *Post* », car une fois l'article posté, il est impossible d'en annuler la propagation mondiale[1]. Tout article véhicule l'image de l'expéditeur (même si la règle veut

---

1. De même, éviter de poster trois articles pour corriger les fautes de frappes commises dans le premier...

que les opinions exprimées sur les *news* le sont à titre personnel).

L'utilisateur qui transgresse les règles[1] peut déclencher des guerres épistolaires (*flame wars*[2]).

Usenet lutte contre les messages publicitaires (postés ailleurs que dans la hiérarchie `biz.`), ainsi que contre tous les messages vantant les mérites de systèmes pyramidaux[3] et autre propagande. Devant la recrudescence de ce type d'articles (*spams*), les administrateurs de sites Usenet peuvent détruire un article après son envoi afin d'éviter sa propagation, même s'il a été posté dans plusieurs groupes[4].

Fig. 10. — Client Gopher en mode graphique (HGopher, `<ftp://ftp.doc.ic.ac.uk/packages/windows3/winsock/hgoph24.zip>`)

---

1. Exemple de provocation intentionnelle : un utilisateur poste un message sur les différentes façons de tuer un chat dans le *newsgroup* `<news:rec.pet.cats>`.
2. Plusieurs groupes `<news:alt.flame.*>` traitent de l'art du *flame war*.
3. Version informatique des lettres du genre « Comment devenir riche sans rien faire : versez 5 $ aux 10 personnes dont les adresses figurent ci-dessous et insérez votre nom dans la liste que vous enverrez à dix autres personnes ». Ces jeux sont interdits par la loi dans de nombreux pays, mais certains tentent régulièrement d'en créer sur Internet. (Tous les messages dont le titre ressemble à « $$$$ MAKE MONEY FAST $$$$ » sont tout simplement à ignorer...)
4. Toute annulation de message fait l'objet d'un rapport public posté dans le groupe `<news:news.admin.net-abuse.announce>`.

La structure des articles est similaire à celle des messages électroniques (en-tête, sujet, contenu, signature*, etc.). Les articles Usenet utilisent souvent les smileys* et autres abréviations pour raccourcir les messages.

VI. — Gopher

Gopher est un système distribué de mise à disposition d'informations développé en 1991 par Linder et McCahill de l'Université du Minnesota.

Les serveurs Gopher mémorisent des fichiers contenant divers types d'informations (texte, image, son, etc.), organisées selon un système de menus. Un logiciel client Gopher (figure 10) est utilisé pour accéder aux serveurs Gopher. Ces derniers sont reliés les uns aux autres car un élément d'un menu peut pointer sur un menu d'un autre serveur Gopher. Les serveurs Gopher ont donc tissé un réseau de liens sur lesquels l'utilisateur peut naviguer pour trouver des informations. Gopher est à l'origine du *netsurfing* puisqu'il permet de parcourir la planète en se promenant de serveur en serveur. Veronica[2] est un système de recherche d'information contenue dans les serveurs Gopher[3].

VII. — WAIS

WAIS[4] (*Wide Area Information Servers*) est un système client-serveur permettant d'effectuer des recherches d'informations dans des bases de données. Il est possible d'interroger les bases WAIS en utilisant un client Gopher* ou WWW*. WAIS a été racheté par America Online en 1995.

---

1. Par exemple: BTW *by the way*, HTH *hope this helps*, IMO *in my opinion*, NRN *no reply needed*, etc.
2. *Very easy rodent-oriented net-wide index to computerized archives !*
3. Il existe un serveur Veronica en Suède : <gopher://gopher.sunet.se: 70/11/veronica>.
4. Pour plus d'informations sur WAIS, voir <http://wais.com>.

VIII. — WWW[1] (*World-Wide Web*)

1. Définition et fonctionnement. — Le *World-Wide Web* a initialement été développé en 1989 au CERN[2] par Tim Berners-Lee et son équipe, mais c'est le logiciel client Mosaic du NCSA* (1993) qui a conféré au Web la simplicité d'utilisation et les capacités multimédias à l'origine de son immense succès.

WWW est un système hypermédia distribué fonctionnant en mode client-serveur sur Internet. Il permet de mettre à disposition des informations sous forme de document hypertextes. Pour accéder au *World-Wide Web*, il est nécessaire de disposer d'un logiciel client (*browser*) comme Mosaic* ou Netscape* (figure 11). L'accès à un document est conditionné par la connaissance de sa localisation physique, cette dernière s'exprimant sous la forme d'un URL* (*Uniform Resource Locator*[3]).

Le nombre[4] de serveurs W^3 est en constante augmentation. Chacun d'entre-eux gère un grand nombre de documents hypermédias* pouvant comporter du texte, des images, du son, de la vidéo (ou d'autres types de fichiers informatiques). Les clients et les serveurs Web dialoguent en utilisant un protocole de communication spécifique : HTTP *HyperText Transfer Protocol*.

Pour mettre un document à disposition sur un serveur W^3, il est nécessaire de le marquer à l'aide du langage HTML *HyperText Mark-up Language*. Ce marquage décrit la structure logique du document et est interprété par le logiciel client W^3 lors de l'affichage. Encore fastidieuse, cette étape de marquage des documents est maintenant facilitée par les éditeurs et convertisseurs

1. Souvent lu « V cube » ou « W cube », mais également « 3 W ». Il existe plusieurs désignations synonymes pour WWW, notamment « le Web » ou « W3 ».
2. Centre Européen de Recherche Nucléaire, Genève.
3. Voir l'explication donnée page 17.
4. Selon Webcrawler, il y aurait environ 75 000 machines serveurs WWW en septembre 1995 (<http://webcrawler.com/WebCrawler/Facts/Size.html>).

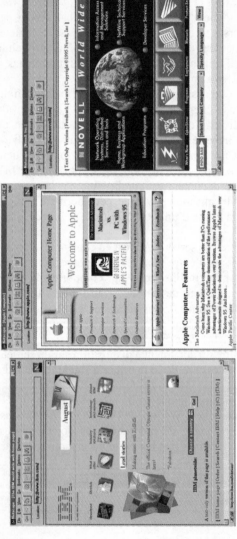

Fig. 11. — Exemples de serveurs Web commerciaux (entreprises informatiques)
IBM <http://www.ibm.com>
Apple <http://www.apple.com>
Novell <http://www.novell.com>

HTML . Plusieurs éditeurs de logiciels proposent de tels programmes. Microsoft distribue par exemple l'*Internet Word Assistant*[1], logiciel permettant de transformer *Word* en éditeur HTML.

Chaque document W^3 peut contenir des liens hyper-textes indiqués par des zones de texte (mots) ou des images de couleurs différentes. Un lien peut transporter le lecteur soit plus loin dans le même document, soit sur un autre document qui peut être stocké sur le même serveur ou sur n'importe quel autre serveur W^3. Ce sont ces liens croisés entre les milliers de serveurs W^3 qui ont tissé la véritable toile d'araignée (*web*) planétaire (*world-wide*) de W^3. L'utilisateur peut *surfer* dans le cyberespace constitué par cet immense maillage.

La gestion des documents multimédias par le client W^3 est rendue possible par le support de plusieurs formats graphiques (GIF et JPEG) et sonores. Les autres types d'informations (fichiers vidéo MPEG ou Quicktime) doivent être traités par des visualiseurs externes (*viewers* ou *helper applications*).

Les clients W^3 sont capables de se comporter en client FTP*, Gopher* ou *News** (NNTP*). Certains permettent d'envoyer des messages électroniques. Ce cumul de fonctions fait du système un intégrateur ouvrant l'accès à la plupart des sources informationnelles disponibles sur Internet, via une interface uniforme et conviviale. Un autre avantage de W^3 concerne les possibilités d'interaction avec l'utilisateur. HTML autorise la gestion de formulaires (*forms*) qui permettent de recueillir interactivement des données (dans des zones de saisie, des listes, des cases à cocher, etc.). Ces formulaires élargissent considérablement le champ des applications possibles sur le Web et assurent la supériorité de W^3 par rapport à Gopher. Des entreprises recourent à

1. <http://www.microsoft.com/msoffice/freestuf/msword/download/ia/default.htm>.

ces formulaires pour recevoir des commandes (divers exemples d'applications sont présentés dans le chapitre suivant).

2. **Utilisation et recherche d'information.** — Les clients W[3] permettent de naviguer dans l'espace informationnel d'Internet. Pour localiser rapidement une ressource, il est conseillé d'utiliser les systèmes de recherches disponibles. Il en existe beaucoup, mais les plus connus sont Infoseek[1], Lycos[2] et le Webcrawler[3]. Chacun de ces systèmes indexe plusieurs millions de pages Web. Il existe également des catalogues de références comme Yahoo[4]. De nombreux serveurs proposent leurs listes de sites préférés ou des listes de pointeurs portant sur un sujet. Il est primordial de recourir systématiquement aux marque-pages (*bookmarks*), afin de retrouver les sites visités.

3. **Sécurité.** — A l'heure actuelle il n'existe pas encore de standard en matière de sécurisation des échanges de données entre le client et le serveur W[3], ce qui limite provisoirement le développement des applications commerciales. Netscape propose SSL[5] *Secure Socket Layer*, protocole qui offre un canal de communication fiable, authentifié et sécurisé. L'avantage principal de SSL est d'offrir ce service indépendamment d'une application. SSL peut donc non seulement être utilisé par HTTP*, mais aussi par d'autres applications TCP/IP (FTP* ou Telnet* par exemple). Netscape a pour l'instant implanté ce protocole dans ses logiciels ; il est donc mis en œuvre entre les sites utilisant son serveur Netsite et les clients travaillant avec son logiciel Netscape.

1. <http://www.infoseek.com/>.
2. <http://www.lycos.com/>.
3. <http://webcrawler.com>.
4. <http://www.yahoo.com/>.
5. Pour plus d'informations, voir <http://www.netscape.com/newsref/ref/netscape-security.html> et <http://home.netscape.com/info/SSL.html>.

La seconde approche, défendue par le NCSA, est S-HTTP[1] *Secure Hypertext Transfer Protocol* qui s'intéresse à sécuriser les communications entre un client et un serveur W[3].

4. Evolution. — L'évolution du *World-Wide Web* est supervisée par un consortium[2] regroupant le CERN, l'INRIA et le MIT. Cette évolution passe notamment par la spécification de la version 3 du langage HTML*, censée apporter notamment le support des tableaux, des formules mathématiques et du formatage de document. Ces développements font ressortir les divergences de vues entre les développeurs universitaires (NCSA, CERN) et les développeurs commerciaux (Netscape, Spry, Spyglass, etc.).

IX. — Vers la vidéoconférence

Internet est depuis ses origines un réseau permettant la communication interpersonnelle. La discussion en mode texte en temps réel est possible grâce à l'IRC *Internet Relay Chat*[3].

L'*Internet Phone* de Vocaltec[4] est une application qui permet de communiquer oralement sur Internet. *I-Phone* fonctionne aujourd'hui en *full-duplex* et offre une qualité de restitution sonore relativement acceptable par rapport au téléphone[5].

Après le texte et le son, il est aussi possible de communiquer avec de l'image. Le logiciel *CUSeeMe*, développé par l'Université de Cornell[6], offre une qualité sonore plutôt bonne et donne une image vidéo du cor-

1. <http://www.eit.com/projects/s-http/>.
2. <http://www.w3.org>.
3. RFC-1459.
4. <http://www.vocaltec.com/>.
5. Les communications vocales font encore l'objet d'un monopole dans de nombreux pays européens. L'usage d'I-phone y est donc théoriquement illégal.
6. <http://cu-seeme.cornell.edu/>.

respondant (relativement petite et avec un faible taux de rafraîchissement). *CuSeeMe* (version bêta) fonctionne sur Mac ou sous Windows et peut supporter jusqu'à huit images de correspondants. Il opère grâce à des machines jouant le rôle de réflecteurs, en renvoyant les données d'un utilisateur vers les autres. Les limites d'IPv4 en matière de réservation de bande passante empêchent pour l'instant le développement d'outils de vidéoconférence sur Internet capables de concurrencer l'offre commerciale basée sur le RNIS*. En matière de support au travail de groupe, Internet offre tout d'abord la messagerie électronique. Plusieurs équipes travaillent au développement* des futures applications de *groupware** sur Internet. *Collage* (développé par le NCSA[1]) par exemple offre un tableau blanc partagé (*shared white board*) permettant de travailler à plusieurs sur un document. *Collage* autorise également l'interaction vocale. *Person-2-Person* d'IBM[2] est un autre logiciel (commercial) qui fournit des services similaires. Citons encore le logiciel *Sesame* d'Ubique[3] qui travaille avec Netscape ou Mosaic en ajoutant à ces logiciels des possibilités de discussion et de diffusion (audio). *Sesame* permet de *netsurfer* à plusieurs dans le *Webspace*. Grâce à lui, deux internautes peuvent se rencontrer virtuellement s'ils visitent un même site W[3].

X. — Vers la réalité virtuelle

La réalité virtuelle hante les esprits depuis plusieurs années. C'est au printemps 1994, lors de la première conférence sur WWW à Genève, qu'émergea l'idée d'étendre le *World-Wide Web* à la troisième dimension. Le projet VRML (*Virtual Reality Modeling Language*) fut créé à cette occasion.

1. <http://www.ncsa.uiuc.edu/>.
2. <http://www.hursley.ibm.com:80/~p2p/>.
3. <http://www.ubique.com/>.

VRML est un langage de description d'espace virtuel basé sur le format *Open Inventor* de Silicon Graphics[1] qui a encouragé le développement de VRML en acceptant de rendre public ce format.

Le succès de VRML[2] dépendra de la mise à disposition de logiciels clients capables d'interpréter ce langage pour les principales plates-formes du marché, ce à quoi travaillent de nombreuses entreprises. Il est probable que l'avenir apportera la troisième dimension dans le cyberspace, ce qui laisse d'ores et déjà rêveur par rapport aux nouvelles applications possibles (par exemple dans les domaines de l'architecture, des loisirs ou de la télémédecine). Des recherches sont en cours dans le domaine des rencontres virtuelles. De même que *Sesame* permet de visiter à plusieurs un site W[3] en deux dimensions, VRML permettra de visiter à plusieurs des espaces virtuels en trois dimensions.

XI. — **Conclusion**

Cette présentation des principaux applicatifs Internet laisse entrevoir les potentialités du réseau. De nombreux développements logiciels sont en cours[3] pour proposer de nouveaux services. L'on ne pourrait les citer tous à ce jour mais l'on peut d'ores et déjà supposer que cette nouvelle dimension communicante sera révélatrice de l'ingéniosité de certains.

1. <http://www.sgi.com>.
2. <http://www.vrml.org>.
3. Sun travaille par exemple sur *Java*, outil de développement proche du langage C, qui permettra de créer des applications distribuées capables de s'exécuter sur les principales plates-formes matérielles existantes (Unix, Windows, Mac OS). Netscape a d'ores-et-déjà annoncé sa volonté de supporter Java dans les futures versions de son célèbre logiciel client WWW. (Pour plus d'information, consulter <http://java.sun.com>).

Chapitre IV

L'INTERNET COMMERCIAL

I. — **Introduction**

Ce chapitre expose les enjeux économiques associés à Internet. Après avoir présenté les principaux acteurs de marché, nous étudierons les utilisations commerciales du réseau. Nous verrons enfin comment intégrer avec succès Internet dans la stratégie d'entreprise.

II. — **Acteurs du marché**

Internet est un marché global où s'affrontent de nombreuses entreprises, dont une partie seulement sont des sociétés informatiques. Le tableau 1 dresse un panorama des principaux acteurs du marché[1].

1. **Transporteurs de données.** — Les transporteurs de données sont les entreprises qui louent ou vendent des lignes de communication capables de véhiculer du trafic Internet. Parmi elles, les opérateurs de télécommunication se taillent la part du lion, notamment grâce aux monopoles qui subsistent dans de nombreux Etats. Là où ce monopole a été brisé ou assoupli, on trouve d'autres intervenants privés.

Les câblo-opérateurs présents sur le marché de la télévision par câble sont également concernés. Les réseaux câblés transportent pour l'instant des chaînes de télévision mais véhiculeront peut-être demain des servi-

---

1. Les catégories doivent être considérées avec souplesse puisque des entreprises sont présentes sur plusieurs des marchés identifiés. IBM, par exemple, est à la fois fournisseur d'accès, producteur de machines (ordinateurs, routeurs, etc.), éditeur de logiciels (systèmes d'exploitation, implémentations de TCP/IP, applications, etc.), et fournisseur de services sur Internet (serveurs WWW d'IBM).

Tableau 1. — **Principaux acteurs du marché que constitue Internet**

Acteurs du marché	Types d'entreprises et exemples
Consommateurs de services	• Utilisateurs d'Internet (particuliers et entreprises)
Fournisseurs de contenu et de services à valeur ajoutée	• Fournisseurs d'informations en ligne (Agences de presse, Presse, Editeurs, etc.) • Fournisseurs de produits et services en ligne (Médias, Industrie du jeu, Publicité, Bases de données, etc.) • Entreprises ayant intégré Internet dans leur stratégie commerciale (Vente par correspondance, Banques, Organismes universitaires ou gouvernementaux, Entreprises commerciales, etc.)
Applications et logiciels Internet	• Editeurs de logiciels serveurs ou clients (Netscape, Wollongong, IBM, Novell, etc.) • Entreprises mettant en œuvre ces systèmes (*design*, construction de serveurs WWW, interfaçage avec le système d'information de l'entreprise, etc.)
Systèmes (logiciels et matériels)	• Constructeurs informatiques (IBM, Compaq, Apple, Sun, Cisco, 3com, etc.) • Editeurs informatiques (Microsoft, Novell, IBM, Sun, etc.)
Internet	• Fournisseurs d'accès Internet • Opérateurs télécoms • Opérateurs des réseaux concurrents rattachés à Internet (CompuServe par exemple)
Transporteurs de données	• Opérateurs télécoms publics et privés • Câblo-opérateurs

ces commerciaux numériques (vidéo à la demande, téléachat, etc.). Ces entreprises sont plus engagées dans des expériences de télévision numérique et semblent assez peu actives sur Internet. Il est possible que cela permette aux opérateurs télécom d'occuper le marché du transport d'information, s'assurant ainsi une position préférentielle par rapport aux futures autoroutes de l'information.

Le marché du transport de données est réservé aux très grandes entreprises puisque les investissements colossaux à réaliser constituent une barrière à l'entrée, difficile à franchir pour les concurrents.

Les entreprises fabriquant le matériel nécessaire pour transporter les données sont aussi classées dans cette catégorie (fabricants de fibre optique, de satellite de communication, etc.).

2. **Opérateurs Internet.** — Initialement, Internet était constitué de quelques grands opérateurs desservant principalement les milieux académiques. Ces opérateurs sont encore présents et bien implantés sur le marché. Certains ont choisi d'ouvrir leurs portes au trafic Internet commercial alors que d'autres ont préféré s'en tenir à leur mission d'origine.

Face au développement des connexions commerciales se sont implantés de nombreux fournisseurs d'accès de petite taille. Ces derniers devront sans doute se regrouper dans les années à venir.

Les entreprises présentes sur le marché des réseaux de communication nationaux (Calvacom) ou internationaux (Compuserve, America Online, etc.) offrent aujourd'hui presque toutes des accès Internet plus ou moins complets à leurs clients.

3. **Constructeurs et éditeurs informatiques.** — Le développement d'Internet concerne les géants de l'informatique à plusieurs titres, notamment en tant que

producteurs des machines et des logiciels nécessaires pour utiliser les services du réseau. Sun Microsystems par exemple, vend des stations de travail sous Unix*, livrées clé en main pour être des serveurs WWW*.

Les éditeurs de systèmes d'exploitation sont aussi concernés puisque le fait d'intégrer le support de TCP/IP* dans leurs logiciels est un élément concurrentiel important. IBM a d'ailleurs mis en avant cet argument dans la campagne publicitaire pour son système d'exploitation WARP. Les éditeurs de protocoles TCP/IP comme Novell avec *LanWorkPlace* sont également concernés.

4. **Editeurs d'applications Internet.** — Internet n'est que peu de chose sans ses applications. *Netscape* s'est imposé en matière de logiciels W^3, avec près de 80% du marché des clients et une part importante des serveurs avec *NetSite*, son serveur sécurisé.

La concurrence avec les logiciels *freeware** ou *shareware** est assez rude mais il est probable que les développeurs de ces derniers auront du mal à résister aux offres des éditeurs commerciaux.

Nous classons aussi dans cette catégorie l'ensemble des entreprises dont l'activité consiste à mettre en œuvre, à construire et à gérer les serveurs, pour le compte des entreprises qui fournissent des services sur Internet.

5. **Fournisseurs de téléservices.** — Certaines entreprises dépendent du réseau pour leur activité principale. InfoSeek[1] offre par exemple un service de recherche d'information dans des bases de données contenant notamment les articles de plus de 50 revues.

Les autres entreprises utilisent Internet comme un moyen supplémentaire pour apporter des services à

---

1. `<http://www.infoseek.com>`.

leurs clients actuels ou potentiels. C'est par exemple le cas des magasins de vente à distance sur Internet (*shopping malls*). C'est aussi le cas des entreprises qui enrichissent leurs services grâce au réseau. Federal Express[1] ou United Parcel Service[2] offrent un suivi des paquets en temps réel sur le Web*.

Il faut également ajouter dans cette catégorie l'ensemble des universités, écoles et centres de recherche qui utilisent Internet pour mettre à disposition des informations sur leurs institutions, leurs cours et leurs travaux de recherche (publications, compétences, etc.).

6. **Consommateurs.** — Les 40 millions d'utilisateurs d'Internet forment un vaste marché potentiel. Les consommateurs de services peuvent être des particuliers ou des entreprises. Nous verrons plus loin les services (gratuits ou payants) offerts sur le réseau.

III. — Services Internet

Le réseau offre une large palette de services auxquels les utilisateurs accèdent par l'intermédiaire des applications présentées au chapitre III.

1. Services de communication.

A) *Messagerie électronique.* — Le service le plus répandu sur Internet est la messagerie électronique qui permet de communiquer avec les 40 millions d'internautes.

B) *Les groupes de discussion.* — Les *news* sont d'un grand intérêt pour les entreprises puisque l'on y trouve de nombreuses informations. Elles permettent également d'établir une liaison directe entre l'entreprise et ses clients, permettant ainsi d'améliorer les services de

---

1. <http://www.fedex.com/>.
2. <http://www.ups.com/>.

l'entreprise (information des clients, réponse aux questions, annonces, etc.).

Pour le particulier, les *news* peuvent être utilisées pour les loisirs (par exemple l'échange de recettes de cuisine sur `<news:fr.rec.cuisine>`, les rencontres, les petites annonces `<news:fr.petites-annonces.vehicu-les>`, les offres d'emploi `<news:fr.jobs.offres>`, etc.).

C) *Services interactifs.* — L'*Internet Relay Chat* (IRC) autorise la discussion en temps réel sous forme de texte et peut être mise à profit pour des applications professionnelles ou privées. L'*Internet Phone* permet de téléphoner en utilisant Internet et son système de tarification avantageux. *CUSeeMe* propose même un prototype utilisable de visiophone sur Internet.

2. Information.

A) *Services gratuits.* — La plupart des informations disponibles sur Internet sont fournies gratuitement et directement par les organisations qui les produisent. La majorité des entreprises informatiques offrent des informations sur leurs produits et services. Les services techniques présentent également des documents et des logiciels destinés aux utilisateurs des produits de l'entreprise. Microsoft, par exemple, met à disposition des correctifs logiciels (*patches*), des logiciels gratuits (le visualiseur Word, ou l'*Internet Word Assistant* par exemple), des informations techniques sur ses produits (notamment les très utiles bases de connaissances techniques qui recensent les problèmes et solutions relatifs aux logiciels Microsoft (*knowledge bases*)), des informations sur l'entreprise elle-même (rapport annuel, annonces de presse, offres d'emplois), etc. Autant d'informations utiles pour tout utilisateur de produits Microsoft.

Les universités, écoles et centres de recherche publient également une quantité d'informations (cours, documents de recherche, publications, etc.). Une part importante est aujourd'hui publiée sur Internet, parfois même avant son édition sous forme papier. Cet outil d'échange et d'accès à l'information est aujourd'hui incontournable pour les enseignants et les chercheurs.

Aujourd'hui, tous les universitaires recourent à la bureautique pour écrire leurs documents (thèses, rapports, mémoires, etc.). La simplicité avec laquelle il est possible de les mettre à disposition sur Internet favorise la croissance de la masse d'informations disponible.

La plupart des grandes bibliothèques sont également présentes sur le réseau, sans oublier les bibliothèques virtuelles qui se développent, proposant des versions électroniques d'œuvres libres de droits.

Les organismes d'Etat publient aussi des informations sur le réseau. Le gouvernement américain propose de nombreux sites d'informations. La CIA publie son *factbook*[1] sur Internet. La NASA informe sur ses missions passées, actuelles ou futures et diffuse des informations sur la navette spatiale[2]. La Communauté européenne propose aussi des documents économiques et politiques[3]. Plusieurs gouvernements comme celui du Canada sont présents sur le Web. Le gouvernement français s'y met aussi, avec les ministères de la Culture[4], de l'Industrie[5] et de l'Education[6]. Un peu partout on voit jaillir des sites W^3 portant sur des villes[7], des régions, ou des pays.

B) *Services commerciaux*. — Certaines entreprises offrent des actualités sur le Web ou via les *news*. Clarinet[8] par exemple publie des dépêches d'agence (*Asso-*

---

1. <http://www.odci.gov/cia/publications/pubs.html>.
2. <http://shuttle.nasa.gov/>.
3. <http://www.echo.lu/>.
4. <http://www.culture.fr>.
5. <http://www.ensmp.fr/industrie/index_fr.html>.
6. <http://www.mesr.fr/>.
7. <http://www.city.net/>.
8. <http://www.clari.net/>.

ciated Press et *Reuters*) et des articles de synthèse sur les *news*, classés dans des *newsgroups* thématiques (économique, politique, géographique, informatique). D'autres entreprises comme Individual[1] avec ses *News-Pages*, proposent des informations sur mesure via W[3]. Le service est personnalisé par rapport aux thèmes choisis par le client qui n'est donc pas noyé sous une avalanche d'informations inutiles, mais reçoit un « journal » informatisé unique. La technologie permet de réaliser du sur-mesure de masse.

D'autres services diffusent des informations financières, notamment les cours de bourse ou les taux de change. Quote.Com[2] fournit par exemple des services d'analyse financière personnalisés. Le réseau Internet est en ce sens un nouveau média capable de concurrencer ou de compléter les médias traditionnels comme la presse, la radio ou la télévision[3].

C) *Edition en ligne.* — Plusieurs magazines sont publiés sous forme électronique[4]. *Internet World*[5] ou *Wired*[6] par exemple sont des journaux spécialisés dans l'informatique qui sont disponibles sous forme papier et sous forme électronique. Sur les sites de ces journaux, il est possible de consulter le numéro du mois, d'effectuer des recherches dans les anciens numéros, de dialoguer avec les auteurs, etc. La plupart des grands journaux américains sont présents sur le Web[7]. L'édition en ligne apporte sa propre valeur ajoutée par rapport au papier puisqu'elle permet par exemple de lier un article avec un dossier paru précédemment, ou de bénéficier du multi-

1. <http://www.newspage.com/>.
2. <http://www.quote.com/>.
3. Voir par exemple <http://www.cnet.com>.
4. Le terme *E-zine* les désigne (abréviation de *Electronic Magazine*).
5. <http://www.mecklerweb.com:80/mags/iw/iwhome.htm>.
6. <http://www.hotwired.com/>.
7. Voir par exemple le site du groupe Time Warner (*Fortune*, *Time*, *Entertainment*, etc.), <http://www.pathfinder.com>.

média. Bien utilisée, elle est donc plus qu'un simple substitut au produit papier[1].

D) *Banques de données*. — De nombreuses banques de données sont accessibles par Internet. La plupart sont interrogeables en émulation de terminal. Les plus avancées disposent d'un serveur W[3] et diffusent des données multimédias.

3. **Services de prestation.** — Nous classons dans cette catégorie l'ensemble des téléservices visant à vendre un produit ou un service par l'intermédiaire du réseau. Le téléachat se développe sur Internet, utilisant les capacités multimédia du Web pour renforcer l'attractivité de la vente à distance. Une des premières entreprises à avoir utilisé le Web pour prendre des commandes est Pizza Hut[2], dont le serveur permet de passer une commande de pizza. Par rapport à une commande par téléphone ou Minitel, le Web a l'avantage de supporter les images haute définition, ce qui autorise la diffusion de photos des produits.

De nombreux services de vente par correspondance ont suivi, et l'on trouve aujourd'hui de tout sur le réseau : des fleurs coupées à la lingerie, en passant par les livres, les logiciels, les voitures, les voyages, etc. En France, nous pouvons citer la librairie du Monde en « Tique »[3], la FNAC[4] ou Décathlon[5]. De véritables supermarchés se mettent en place. Ces magasins virtuels pourraient remettre en cause partiellement la notion de distributeur (désintermédiation), puisqu'il est très simple et rapide de commander directement un produit chez le fabricant. Ces technologies concrétisent les

---

1. L'*Encyclopedia Britannica Online* en est un bon exemple <http://www.eb.com/>.
2. <http://www.pizzahut.com>.
3. <http://www.idt.fr/met.html>.
4. <http://www.fnac.fr/index.html>.
5. <http://www.decathlon.com/>.

notions de village global, de concurrence internationale ou de délocalisation.

Internet concurrence le téléachat disponible sur certains réseaux de télévision par câble. L'avantage du Web est l'interaction avec le client qui est très nettement supérieure à celle dont dispose un téléspectateur.

Pour l'instant, le commerce électronique n'en est encore qu'à ses balbutiements. Les outils techniques se mettent en place afin d'assurer des transactions commerciales sécurisées. DigiCash[1], First Virtual[2], mais aussi VISA[3] ou Master Card[4] travaillent à la création des futurs moyens de paiements virtuels.

4. **Culture et tourisme virtuel.** — Les possibilités multimédias de W^3 sont exploitées en matière culturelle et touristique. Il existe sur le Web des musées virtuels, dont certains sont liés à des musées réels[5] et présentent une partie des collections, les expositions temporaires, diverses informations pratiques (horaires, plan d'accès, tarifs), etc. D'autres sont de véritables musées immatériels avec des expositions sans équivalent physique.

Le tourisme virtuel désigne la possibilité de visiter à distance des sites touristiques. Il peut être employé pour préparer un voyage et choisir les destinations, les lieux à visiter ou les hôtels et restaurants (figure 1). Ici le Web peut être assimilé à un guide de voyage global dans lequel l'information provient souvent directement de sa source. Aujourd'hui ces guides sont encore incomplets mais l'attrait du Web est fort et de nombreuses entreprises créent des guides touristiques virtuels. Ces guides proposent des informations mises à jour en permanence

1. <http://digicash.com/>.
2. <http://fv.com/>.
3. <http://www.visa.com/>.
4. <http://www.mastercard.com/>.
5. Par exemple le site du ministère de la Culture, <http://Web.culture.fr/culture/creation.htm>.

et sont parfois couplés à des systèmes de réservation d'hôtel[1] ou de transport[2].

5. **Enseignement et recherche.** — Internet provient de la communauté universitaire. Il est donc par essence adapté à ses besoins de partage d'information. Il est en majorité utilisé par le corps enseignant bien que dans de nombreux cas les étudiants eux-mêmes bénéficient d'accès au réseau. Aux Etats-Unis, les écoles, collèges et lycées sont connectés au réseau.

Les enseignants et les chercheurs utilisent Internet pour échanger très rapidement leurs travaux, le résultat de leurs expériences, leurs ressources informatiques et pédagogiques (transparents, polycopiés, plans de cours), etc. Internet peut aussi être utilisé à l'intérieur d'une école pour favoriser la communication entre les professeurs ou les étudiants.

Le Web est de plus en plus utilisé comme support pour l'enseignement assisté par ordinateur (EAO), puisqu'il supporte la diffusion d'information multimédia et l'interaction avec l'étudiant. Les formulaires supportent des questionnaires à choix multiples (QCM) assistés par ordinateur.

Internet est aussi une source d'information gigantesque pour les enseignants comme pour les étudiants. Dans le monde de la recherche, le réseau est devenu un outil indispensable et tout chercheur qui en est privé est en quelque sorte exclu du monde scientifique international.

On assiste en outre au déploiement d'expériences pilotes utilisant Internet comme support pour le télé-enseignement.

6. **Loisirs.** — En abordant précédemment le tourisme virtuel, nous évoquions déjà les loisirs. Internet

---

1. Voir par exemple Hilton <http://www.hilton.com/>.
2. Voir par exemple American Airlines <http://www.amrcorp.com>.

Fig. 1. — Quelques sites liés au tourisme
America Airlines <http://www.amrcorp.com/>
Global Online Travel <http://www.netsite.com/>
Club Med <http://www.clubmed.com/>

propose de très nombreuses autres possibilités de divertissements. En utilisant le transfert de fichier (FTP*), un internaute peut télécharger de nombreux jeux en *freeware* ou en *shareware*. Certaines entreprises diffusent des versions bridées de leurs logiciels de jeux (par exemple Apogee[1], dont le jeux *Doom* est entré dans la légende, figure 2).

Il existe également depuis longtemps des jeux interactifs en mode texte. Les MUD (*Multi-Users Dungeon*) sont des jeux de rôles de type « Donjons et Dragons » dont la partie se déroule virtuellement à l'échelle de la planète.

D'autres jeux interactifs comme *Descent* d'Interplay[2], un jeu de combat spatial en trois dimensions, permettent de jouer à plusieurs en utilisant le réseau.

On assiste aussi à l'émergence de services ludiques pour adultes. Les casinos virtuels[3] naissent sur le Web et permettront de jouer au poker ou à la roulette sous forme virtuelle (mais avec de véritables dollars !). La plupart de ces sites sont basés dans des pays peu restrictifs comme certaines îles des Bahamas, ce qui pose certains problèmes juridiques ou fiscaux.

A l'instar du Minitel rose, Internet comporte également des sites W[3] érotiques. Ces sites vont des catalogues d'articles pour adultes, aux bibliothèques d'images, en passant par les magazines pour adultes (*Playboy*[4] ou *Penthouse*[5] ont aujourd'hui leurs vitrines sur le Web). Il existe également divers services de rencontre ou d'agence matrimoniale.

Les censeurs sont sensibles à ce type de services. Il est vrai qu'un certain laxisme a longtemps régné, mais aujourd'hui les choses semblent rentrer dans l'ordre

---

1. `<http://swcbbs.com/apogee/apogee.htm>`.
2. `<http://www.interplay.com/website/descent.html>`.
3. Par exemple `<http://www.casino.org/>`.
4. `<http://www.playboy.com/>`.
5. `<http://www.penthousemag.com/>`.

d'elles-mêmes et les sites pour adultes sont protégés par des numéros de comptes assurant que l'utilisateur est majeur. Les écoles ou les parents peuvent également interdire à leurs enfants l'utilisation de certains sites W[3], à l'aide de logiciels comme *Surfwatch*[1].

IV. — Offrir des services sur Internet

De plus en plus d'entreprises sont présentes sur Internet et intègrent le réseau dans leur stratégie.

1. Entreprises concernées. — Les entreprises adoptent diverses attitudes par rapport à Internet.

A) *Les entreprises présentes sur Internet.* — Les entreprises dont l'activité touche à l'informatique sont pour la plupart déjà sur le réseau (constructeurs, éditeurs de logiciels, de livres ou de revues informatiques, SSII[*], consultants, indépendants, entreprises de formation, distributeurs, etc.). La segmentation du marché des utilisateurs actuels leur est tout à fait favorable. Les constructeurs, éditeurs et distributeurs se bousculent pour tenter d'occuper le marché avant leurs concurrents. Les entreprises européennes restent pour l'instant à l'écart de ce marché, courant le risque d'en être évincées puisque la concurrence est ici plus que jamais mondiale. Pour les entreprises informatiques, la présence sur le Web est une preuve de « modernisme » et permet de renforcer les liens avec les clients.

La plupart des entreprises travaillant à l'exportation, notamment vers les Etats-Unis, se trouveront tôt ou tard en concurrence avec des entreprises présentes sur le Web et offrant un meilleur service à leurs clients. Pour lutter contre cette concurrence, nous pensons qu'il est préférable de préparer cette opération afin de l'intégrer

1. <http://www.surfwatch.com/>.

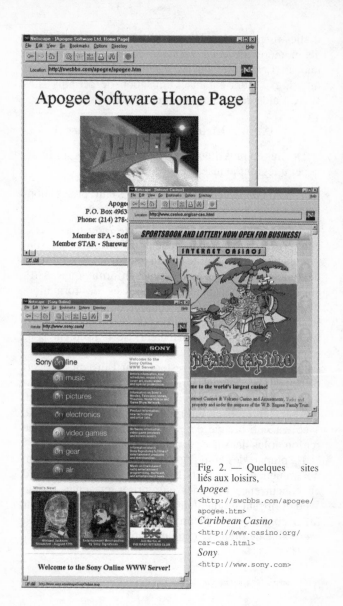

Fig. 2. — Quelques sites liés aux loisirs,
Apogee
<http://swcbbs.com/apogee/apogee.htm>
Caribbean Casino
<http://www.casino.org/car-cas.html>
Sony
<http://www.sony.com>

progressivement dans la stratégie d'entreprise, pour en tirer un avantage concurrentiel maximal.

Les entreprises de vente par correspondance[1] sont conscientes des opportunités qu'elles peuvent tirer du Web et de ses capacités multimédia. Même si ces entreprises ne vont pas y transférer immédiatement la totalité de leur catalogue, il est intéressant pour elles d'y affirmer leur présence et leur volonté de suivre, voire de précéder l'évolution technologique comme elles l'ont fait au niveau national avec le Minitel.

Les entreprises dont l'activité est liée à l'information ou aux médias en général (investisseurs, médias, presse, conseil, etc.) se connectent pour bénéficier de la masse d'informations disponibles sur Internet. Elles utilisent le réseau pour communiquer avec leurs correspondants en échangeant des documents par messagerie.

Les établissements d'enseignement supérieur, universitaire, ainsi que les grandes écoles (scientifiques ou non) se connectent au réseau, pour renforcer leur présence et leurs coopérations internationales. Les écoles secondaires européennes devront vraisemblablement attendre puisque la plupart sont encore bien mal équipées en matériel informatique.

Remarquons que la fourniture de services sur Internet n'est pas réservée aux seules grandes entreprises, puisqu'au contraire les vitrines sur le Web masquent au client la taille réelle de l'entreprise.

B) *Les entreprises dépendantes du réseau.* — Le Minitel a, en son temps, donné naissance à de nombreuses PME, notamment des SSII* spécialisées dans la création de serveurs vidéotex. Elles ont développé l'expertise technique nécessaire et ont revendu leurs compétences aux entreprises désireuses de créer un serveur Minitel. Certaines ont également offert des services de

---

1. Voir par exemple <http://www.trois-suisses.fr>.

gestion de serveur, permettant ainsi à des PME de disposer d'un serveur Minitel.

Un phénomène équivalent se développe par rapport à Internet, puisque de nombreuses sociétés naissent avec pour objectif la création et la gestion, ou l'hébergement[1] de serveurs W^3. Elles proposent également la gestion de réseaux TCP/IP⁺ ou des services d'intégration avec le système d'information de leurs clients.

La mise en place d'un serveur W^3 demande un cocktail de compétences spécialisées. L'aspect technique est important puisqu'il faut maîtriser l'installation du logiciel serveur et les aspects télécommunications. Il est également nécessaire de développer les interfaces indispensables entre W^3 et le système d'information de l'entreprise (par exemple le système de gestion des références ou des commandes). L'aspect graphique est tout aussi important puisque le serveur véhicule l'image de l'entreprise. Le *design* des pages W^3 doit être soigné et réalisé par des spécialistes de l'industrie graphique, de la publicité ou de l'édition. Des compétences organisationnelles sont également utiles pour pouvoir mettre en place les nouveaux processus découlant de l'introduction de ces technologies dans l'entreprise. Les aspects marketing doivent aussi être pris en considération, puisqu'il s'agit d'étudier comment vendre (mieux) les produits de l'entreprise grâce à Internet. L'analyse peut aller jusqu'à étudier l'opportunité de vendre de nouveaux produits et services sur le réseau. Des connaissances en pédagogie peuvent en outre s'avérer profitables. Cette palette de compétences esquisse les caractéristiques de nouveaux métiers hybrides entre l'artistique et le technique.

Malheureusement, parmi les nombreuses SSII proposant des services de construction de pages W^3, on ren-

---

1. On les appelle parfois IPP *Internet Presence Providers.*

contre très peu d'entreprises disposant de ces multiples compétences.

Le marché de la création de serveur WWW est mondial puisqu'il est possible de créer et de gérer un serveur à distance. Délocalisation et globalisation des services prennent ici tout leur sens. La multiplicité des compétences nécessaires renforce les avantages de l'*entreprise virtuelle*, c'est-à-dire de l'entreprise qui utilise les technologies de l'information, et notamment l'Internet, pour réaliser des services en tirant parti des meilleures compétences (indépendamment de leur localisation géographique).

Une deuxième catégorie de sociétés dépend d'Internet. Ce sont celles qui vendent des services n'existant que sur Internet, par exemple un service de recherche d'information dans le cyberespace[1]. On pourrait aussi y ajouter les entreprises de formation qui proposent des cours d'utilisation et de gestion des services Internet.

C) *Les organisations non commerciales.* — Cette catégorie comprend les organismes universitaires ou gouvernementaux qui proposent des services sans but lucratif direct. Un ministère qui présente les richesses culturelles de son pays contribue à accroître son rayonnement international, de même qu'une ville qui décide de créer son serveur Web.

Pour ces différents organismes, Internet est un nouveau média permettant de se faire connaître à l'échelle mondiale. A ce titre, il est complémentaire des brochures publicitaires ou des campagnes d'affichage.

D) *Les entreprises attentistes.* — Certaines entreprises sont connectées au réseau et utilisent des services Internet comme la messagerie, mais renoncent à offrir leurs services sur le Web. Elle pratiquent une veille technologique sur le réseau. Ces entreprises avancent plu-

---

1. Voir par exemple InfoSeek : <http://www.infoseek.com/>.

sieurs justifications. La première est que l'Internet est plus développé aux Etats-Unis qu'en Europe, ce qui peut en limiter l'attrait pour les entreprises européennes. La deuxième est que les utilisateurs du réseau sont assez mal connus (en nombre et en genre) ; or une entreprise préfère connaître la segmentation de l'audience d'un média qu'elle utilise. La troisième est que l'évolution rapide des technologies peut entraîner une certaine course en avant. Gopher qui était promis à un bel avenir il y a deux ans est aujourd'hui remplacé par W^3, qui sera peut-être remplacé demain par un autre système. L'investissement consenti pour créer un site W^3 pourrait alors être remis en question[1]. La quatrième est que le réseau n'est pas géré par une entité unique. Cette caractéristique intrigue et dérange les sociétés qui préfèrent l'assurance d'un opérateur. La cinquième et dernière raison est la sécurité du réseau, dont dépendent les transactions commerciales. Les médias (peut-être par crainte) accablent Internet de tous les maux. La réalité est moins rocambolesque et il est possible de faire dès à présent du commerce sur Internet.

Par ailleurs, si des sociétés sont en position d'attentisme, il en existe qui ignorent encore jusqu'à l'existence du réseau. Celles-ci courent le risque de manquer un virage important de l'économie mondiale et seront peut-être les laissées-pour-compte des futures autoroutes de l'information.

2. Comment offrir des services ?

A) *Démarche*. — On distingue l'utilisation des services Internet en tant que consommateur et la fourniture de services en tant que producteur. Une entreprise peut choisir de rester utilisatrice d'Internet sans y fournir de services. Dans tous les cas, il est souhaitable de connec-

---

1. L'investissement consenti par certaines sociétés pour créer un service Vidéotex est aussi un frein au développement de services sous WWW.

ter en priorité les membres de l'équipe informatique à l'Internet. Cette connexion est très bon marché et permet d'initier les informaticiens aux services du réseau. Dans un deuxième temps, l'équipe informatique peut introduire des applications de messagerie électronique ou d'émulation de terminal à l'intérieur de l'entreprise en utilisant TCP/IP* sur le réseau local. Ensuite, le réseau de l'entreprise sera connecté à l'Internet par un modem* et une ligne téléphonique si les besoins sont faibles, ou par un routeur* et une ligne numérique dédiée si les besoins sont plus importants.

La technologie Internet et notamment les protocoles TCP/IP peuvent être mis en œuvre sans être rattachés à l'Internet mais simplement pour interconnecter deux réseaux informatiques ou utiliser une messagerie électronique interne[1]. Cette étape intermédiaire est recommandée pour les entreprises qui ne pensent pas avoir besoin immédiatement des services Internet.

L'équipe informatique préparera l'introduction d'Internet par des séances de formation aux outils de messagerie ou d'accès au Web. Des raccourcis peuvent être prévus, permettant aux utilisateurs de trouver plus rapidement l'information dont ils ont besoin. L'utilisation d'Internet devra être accompagnée d'une étude des besoins de l'entreprise par rapport aux services offerts, gratuitement ou non, sur le réseau. Il sera alors possible de choisir si nécessaire des abonnements à certains services commerciaux. Dans tous les cas les fournisseurs d'accès[2] peuvent renseigner la direction et présenter des démonstrations sur mesure des services pouvant correspondre aux besoins identifiés.

B) *Outsourcing.* — Lorsqu'une entreprise désire simplement être présente sur Internet pour y diffuser

---

1. Ce genre de réseau TCP/IP interne est appelé *Intranet*.
2. Voir annexe I, page 115.

quelques informations sur ses produits et services, et notamment pour certaines PME, la solution la plus simple consiste à louer de l'espace sur un serveur W^3 géré par une société spécialisée (généralement un fournisseur d'accès Internet). Cette dernière peut aussi construire les pages à la demande de l'entreprise. Le langage HTML* utilisé n'est certes pas compliqué, mais si l'on souhaite utiliser des formulaires ou d'autres fonctions avancées, il est préférable de s'en remettre à des spécialistes. La facturation de ce type de service est généralement fonction du nombre de pages stockées, de leur taille (en Mo) et parfois de leur fréquentation (nombre d'accès).

Avec cette solution, l'entreprise n'effectue aucun investissement en matériel ou compétences particulières mais reste dépendante de la société de service. Il est néanmoins souhaitable de connecter l'entreprise à l'Internet, afin qu'elle dispose de la messagerie et d'un accès au Web permettant de contrôler l'état du serveur.

C) *Gestion autonome.* — Si l'entreprise dispose de ressources techniques et humaines adéquates, elle peut sans problème gérer elle-même son serveur Web. Pour cela, il suffit de disposer d'une machine serveur W^3. Il existe plusieurs logiciels serveurs W^3 fonctionnant sur diverses plates-formes. Les serveurs[1] HTTPD* du CERN[2] et du NCSA[3] sont gratuits et fonctionnent sous Unix. Le serveur NetSite[4] de NetScape est un produit commercial tournant également sous Unix. D'autres serveurs existent pour DOS, OS/2, Windows, Windows NT, Mac Système 7, NetWare, etc. Il est aussi possible de se procurer des solutions de serveurs W^3 clé en main, notamment chez Sun ou Apple.

1. Le consortium W3C fournit une liste des serveurs Web, <http://www.w3.org/hypertext/WWW/Servers.html>.
2. <http://www.w3.org/hypertext/WWW/Daemon/Status.html>.
3. <http://hoohoo.ncsa.uiuc.edu/>.
4. <http://home.netscape.com/>.

Le serveur doit être connecté de façon permanente à l'Internet, généralement par une ligne numérique dédiée, par exemple une ligne RNIS* louée. Si le serveur est peu utilisé, on peut aussi trouver des fournisseurs d'accès qui acceptent le *dial-out*, c'est-à-dire l'établissement d'une communication à chaque demande de consultation du serveur.

Lorsque le serveur est installé et configuré, il convient de définir la structure des pages W^3, c'est-à-dire l'organisation des informations, les liens entre les pages ou vers les autres sites, l'aspect des pages ou l'utilisation de plusieurs langues. Le serveur étant une vitrine de l'entreprise, il se doit de présenter un aspect correspondant à l'image globale de celle-ci et être intégré dans sa politique de communication. La phase de conception doit être soignée et faire l'objet de plusieurs prototypes qui seront testés à l'intérieur de l'entreprise. Il s'agit de vérifier que l'information importante est facilement accessible, que les documents s'affichent comme prévu, etc. Afin d'éviter certaines erreurs, les concepteurs devront avoir un certain nombre d'heures de *web-surfing* à leur actif.

La mise en place de pages purement informatives pose peu de problèmes techniques. La création des formulaires, leur gestion et leur intégration avec le système d'information de l'entreprise sont parfois ardues. Cette dernière étape exige notamment la réalisation de programmes d'interfaçage écrits en langage C.

Si l'entreprise désire accepter des commandes directement et donc le paiement électronique, il faudra recourir à des mécanismes spécifiques.

Lorsque le serveur est terminé, il doit être testé (en interne[1]) afin d'effectuer les retouches corrigeant des

---

1. Le déploiement du Web en interne est conseillé avant tout déploiement externe. Il peut être utilisé pour publier de nombreuses informations dans l'entreprise et peut dans ce cas être vu comme un outil de *groupware*.

erreurs ou problèmes non décelés lors du développement. Il est important de s'assurer que le serveur contient plus d'informations utiles que de pages vierges portant la mention « page en construction ».

Après ce test, le serveur est prêt pour être rendu public. Dès que l'accès est possible depuis l'extérieur, il convient d'annoncer[1] au monde l'existence du nouveau serveur. Il est conseillé d'utiliser les groupes spécialisés sur les *news*[2], puis d'enregistrer certaines pages du serveur dans les principaux serveurs d'annuaire[3]. Les systèmes de recherche d'information sur WWW sont pour la plupart basés sur la libre déclaration des nouvelles pages. Une sélection judicieuse des mots clés est cruciale.

Il est aussi intéressant d'annoncer la création du serveur dans les médias classiques en réalisant une annonce spéciale ou en ajoutant aux publicités les références du nouveau serveur (par son URL).

Il est aussi possible d'acheter de l'espace publicitaire sur d'autres serveurs W3. Le Web est en effet devenu un support publicitaire qui supporte à ce titre l'insertion d'encarts. Ceux-ci possèdent l'avantage d'amener le consommateur directement sur le serveur de l'entreprise qui effectue la publicité (par un lien hypertexte).

Suit la phase d'exploitation, qui verra sans doute rapidement quelques commentaires émerger par *e-mail*. Les suggestions ou remarques des internautes seront utiles pour améliorer le serveur. L'administrateur pourra ensuite tirer des statistiques d'utilisation du serveur (fréquence d'accès, origine géographique des utilisateurs, documents utilisés, etc.). L'analyse commerciale est possible si telle est la vocation du serveur. Il s'agira

---

1. Un serveur non déclaré sera généralement catalogué automatiquement par les systèmes qui parcourent automatiquement le réseau à la recherche de nouveaux serveurs (*knowbots*).

2. Notamment sur `<news:comp.infosystems.www.announce>`.

3. Yahoo, Webcrawler, etc. Voir page 74.

alors de comptabiliser le nombre de commandes ou demandes d'informations reçues par l'intermédiaire du Web. C'est seulement après quelques mois que l'on pourra définitivement dresser un bilan financier de l'opération sachant que certains éléments comme l'image de marque ou la connaissance des produits sont difficiles à évaluer.

3. **Sécurité.** — La sécurité est un élément qui apparaît souvent comme obstacle à la diffusion d'Internet.

A) *Firewalls.* — Sur Internet, la sécurité intervient à plusieurs niveaux. Il est vrai que la connexion directe d'un réseau d'entreprise au réseau mondial n'est pas sans risque. Des pirates peuvent tenter de s'introduire par le réseau dans le système informatique de la société. Si l'on souhaite une très haute sécurité, le plus simple est d'isoler le serveur W^3 et sa connexion Internet du reste du réseau de l'entreprise.

Il est aussi possible d'insérer entre le réseau interne et l'Internet une machine appelée *firewall*[1] (mur coupe-feu[2]). Ces machines filtrent les paquets IP* et n'autorisent que certains types de services. Le blocage de Telnet* limite par exemple les risques de prise de contrôle à distance d'une machine de l'entreprise.

Le filtrage peut être configuré par machine afin de restreindre les accès d'utilisateurs ou d'ordinateurs particuliers. Les écluses peuvent aller plus loin en proposant de jouer le rôle d'un intermédiaire applicatif obligé (*proxy server*) entre les réseaux interne et externe. Dans ce cas, pour effectuer un transfert de fichiers, il faudra d'abord se connecter sur le *firewall*, qui se connectera à son tour sur le serveur FTP* pour y effectuer le transfert de fichiers que l'on rapatriera sur la station du réseau interne.

---

1. Pour plus d'information sur les *firewalls* et la sécurité Internet, voir [6].
2. Nous emploierons également le terme d'écluse utilisé par Huitema [14].

B) *CERT*. — Le premier *Computer Emergency Response Team*[1] fut créé en 1988 suite à l'infection du réseau par le célèbre ver Internet (*Internet worm*). Ces centres sont chargés de recueillir les descriptions de failles sécuritaires observées par les internautes. Les problèmes sont classés, étudiés et signalés aux personnes ou aux sociétés qui développent les logiciels incriminés. Lorsqu'un CERT découvre un problème sérieux, il publie[2] un « *advisory* » (conseil) permettant aux administrateurs de sites de le résoudre par une mise à jour d'un logiciel ou par une configuration spécifique. Les administrateurs ignorant ces annonces peuvent omettre d'effectuer ces modifications et courent alors le risque de voir leur système piraté.

Les CERTs sont regroupés en une association, la FIRST, *Forum of Incident Response and Security Teams*[3].

En 1995, le logiciel SATAN[4] (*Security Analysis Tool for Auditing Networks*) a fait grand bruit dans les médias. Il permet de vérifier la sécurité d'un système Unix• et effectue un certain nombre de vérifications relatives notamment aux différentes annonces passées des CERTs. Ce système est bien entendu destiné aux administrateurs de sites, mais sa diffusion libre sur Internet le met également à la disposition des pirates potentiels qui pourraient l'utiliser pour découvrir les failles de certains systèmes informatiques.

V. — **Le particulier et l'accès Internet**

La connexion Internet à titre privé s'adresse en priorité aux personnes qui disposent déjà d'un micro-ordinateur à domicile. Les gros utilisateurs du Minitel pourraient aussi tirer profit des tarifs et des services attrayants d'Internet. Notons que dans l'état actuel des services offerts par le réseau, il est vrai que la maîtrise de l'utilisation d'un micro-ordinateur et la connaissance

1. `<ftp://cert.org>`.
2. Notamment sur les *news* dans le groupe `<news:comp.security.announce>`.
3. `<http://www.first.org/first/>`.
4. `<ftp://ftp.win.tue.nl/pub/security/>`.

de la langue anglaise sont des atouts non négligeables pour l'utilisation optimale d'Internet.

Pour se connecter au réseau, il faut disposer d'un micro-ordinateur et d'un modem (si possible rapide). Ensuite, il faut contacter un fournisseur d'accès Internet[1] afin d'obtenir les logiciels et les indications nécessaires.

VI. — Conclusion

Nous avons vu comment intégrer Internet à la stratégie d'entreprise et montré qu'il est encore prématuré de généraliser la mise en place de serveurs. Toute entreprise doit néanmoins rester en état de veille technologique attentive afin de ne pas manquer les opportunités que représentent Internet et les réseaux de services en ligne.

---

1. Voir annexe I, page 115.

Chapitre V

ENJEUX SOCIAUX

Si Internet provoque tant d'agitation médiatique, c'est qu'il préfigure les futures autoroutes de l'information et incarne un certain nombre de démons liés à l'informatisation de la société. L'objectif de ce chapitre est de présenter les nombreux enjeux politiques, culturels, sociaux et juridiques d'Internet.

I. — Enjeux politiques

Parallèlement aux enjeux économiques, Internet véhicule certains enjeux politiques.

1. Pour un cadre politique favorable. — Le pouvoir politique est concerné par Internet puisque ce dernier a longtemps été financé par les Etats. Si l'ère industrielle a eu ses grands travaux (chemins de fer, autoroutes, etc.), Internet et les autoroutes de l'information font partie du programme de grands travaux de l'ère postindustrielle. La compétitivité internationale des entreprises passe par le développement d'infrastructures de communication performantes. Plus que jamais, la concurrence est globale, or, pour l'instant, les entreprises européennes restent frileuses par rapport à Internet, ce qui laisse le champ libre aux entreprises américaines qui s'empressent d'y consolider leurs positions de leader.

Le pouvoir politique doit définir un cadre[1] favorable au développement des autoroutes de l'information et notamment d'Internet. Il peut laisser le secteur privé les financer comme le préconise le vice-président améri-

---

1. Au niveau législatif par exemple.

cain Al Gore. Les décisions qui seront prises dans ce domaine assureront la compétitivité internationale de nos économies.

2. **Réseaux et citoyenneté.** — Nombreux sont ceux qui voient dans les autoroutes de l'information un moyen pour rapprocher le citoyen des élus ou des institutions. Certains envisagent même une redéfinition de la démocratie avec, par exemple, des votes électroniques. Ces propositions paraissent encore prématurées aujourd'hui à cause de l'inertie intrinsèque des institutions mais pourraient bien devenir réalité dans les futures décennies.

Plus raisonnablement, l'administration peut offrir de nombreux services sur les autoroutes de l'information. Des organismes comme la Sécurité sociale ou l'ANPE, qui possèdent déjà un serveur Minitel, pourraient disposer d'un serveur sur Internet, pour d'une part améliorer l'information des usagers et d'autre part automatiser, simplifier et accélérer les procédures administratives.

3. **Réseaux et emploi.** — L'impact effectif des réseaux informatiques sur l'emploi est complexe à évaluer. Il est certain que le développement des services en ligne crée des postes de travail, tout comme le développement du Minitel en a générés. Le problème est que certaines activités, qui étaient auparavant réalisées par des employés, sont automatisées par ces technologies. Pour les entreprises de vente à distance, par exemple, il est probable que les commandes effectuées par Minitel ont eu un impact sur le nombre de certaines catégories d'employés (opératrices, tri des commandes, etc.).

La désintermédiation entraîne des transferts d'emplois, tout comme la globalisation des marchés qui facilite la mobilité des employés et accroît la concurrence internationale en facilitant la délocalisation intellectuelle. A l'échelle de l'Europe du Marché unique, une offre d'emploi postée sur Usenet* touche une audience importante, ce qui permet à l'employeur d'optimiser l'embauche. A plus long terme, la recherche prépare de véritables marchés électroniques de compétences. Le politique doit donc renforcer l'attractivité du système économique pour attirer les talents étrangers et améliorer la qualité du système éducatif afin d'augmenter la compétitivité de nos étudiants.

Internet facilite le télétravail puisqu'il permet aux télétravailleurs de rester en contact avec le système d'information de l'entreprise.

4. **Marchés et concurrence internationale.**

Internet peut-il être une réponse aux problèmes des pays en développement ? L'accès au réseau est relativement simple au niveau technique et permet de récolter une grande quantité d'informations. Procurer un accès Internet aux universités des pays en développement contribue à améliorer l'accès à l'information et la qualité des enseignements.

Nul ne peut aujourd'hui prévoir si Internet (et les autoroutes de l'information) vont aider à combler ou au contraire élargir le fossé entre pays riches et pays pauvres. Une chance est donnée aux nouveaux pays industrialisés (NPI) qui disposent d'un niveau technologique suffisant (infrastructures téléphoniques, ordinateurs).

II. — Enjeux culturels

A l'instar des enjeux économiques, les enjeux culturels concernent également le politique. La langue est un des éléments de la culture, or, en ce domaine, la domination de la langue anglaise sur Internet est écrasante. Il faut donc renforcer la présence du français (et des autres langues) par la création de sites bilingues (ou multilingues). La gestion du bilinguisme des sites francophones génère des coûts supplémentaires pour ces sites par rapport aux sites américains ou anglais qui bénéficient directement d'une très large audience.

Outre la langue, la culture passe aussi par la promotion de notre patrimoine artistique. Les expositions virtuelles organisées par le ministère de la Culture ou par des privés (le *WebMuseum*[1] de N. Pioch ou *Paris*[2] de N. Barth par exemple) jouent un important rôle dans la diffusion d'informations culturelles et touristiques.

La diffusion d'Internet dans les écoles, déjà largement amorcée aux Etats-Unis, est un facteur important d'éducation des jeunes. L'hypermédia* est un outil pédagogique puissant. Au niveau de l'enseignement secondaire et supérieur, il est essentiel que les étudiants apprennent à maîtriser les outils d'accès à l'information et à la connaissance.

Internet est un monde à part entière, possédant sa propre culture, la *cyberculture*. Celle-ci s'exprime par exemple par le vocabulaire particulier employé par les internautes.

III. — **Enjeux sociaux**

Internet est plus qu'un simple réseau de communication, c'est un véritable phénomène de société, puisqu'il modifie considérablement certains éléments clés du tissu social.

Pour ses détracteurs, Internet détruit le lien social puisqu'il dénature les rapports humains en favorisant une forme de communication sans contact réel. Cet élément n'est pas nouveau en soi, puisque le Minitel et ses messageries ont déjà donné naissance à ce type de dialogue par clavier et écran interposés. Qui peut dire si ces formes de communication rapprochent les êtres ou les éloignent dans leurs solitudes respectives ?

---

1. <http://sunsite.unc.edu/louvre/>.
2. <http://www.paris.org/>.

La question s'approfondit avec les *cybercafés*[1] qui associent la communication interpersonnelle directe (autour d'un café bien réel) et la cybercommunication avec des personnes situées en un endroit quelconque de la planète.

La communication par Internet ne doit pas se substituer à la communication classique ; elle doit être vue comme un moyen additionnel de communiquer, comme le courrier ou le téléphone l'ont été en leurs temps.

Les outils de communication comme Usenet* ou IRC* créent de véritables communautés virtuelles, disposant de leurs propres règles de fonctionnement. Ces communautés sont autogouvernées et se chargent de faire connaître et respecter la « loi » du groupe (par exemple la netiquette* d'un *newsgroup**).

IV. — Les atouts de la France ?

Avec le réseau Télétel, la France a acquis une expérience inégalée dans le domaine de la télématique grand public. Les entreprises fournissant des services sur Minitel ont développé un savoir-faire indéniable au gré des 15 ans d'exploitation et des millions d'heures de connexion. France Télécom[2] a également prouvé sa capacité à fixer des règles de fonctionnement acceptables (notamment par rapport aux services très contestés du « Minitel rose »). Le Minitel a aussi permis de familiariser la population avec la télématique.

---

1. Les cybercafés sont des cafés dans lesquels on trouve quelques micro-ordinateurs connectés à Internet. En plus d'une consommation et moyennant finance, l'on peut utiliser le réseau pendant un temps donné. Certains cybercafés ont leurs habitués qui y possèdent une adresse de messagerie et une page Web. Voir par exemple le premier cybercafé de Londres : *Cyberia*, <http://www.easynet.co.uk/pages/cafe/>.

2. Dès le 15 mars 1996, France Télécom proposera un éventail de solutions permettant aux utilisateurs d'Internet de se connecter à leurs fournisseurs d'accès par l'intermédiaire d'un système de kiosques. Les fournisseurs d'accès disposeront de numéros d'appel uniques sur tout le territoire et la communication sera facturée au tarif d'une communication locale.

Plusieurs questions se posent à propos des entreprises fournisseurs de services Minitel :

- Peuvent-elles transposer leur expérience du service en ligne en mode caractère au service en ligne en mode graphique (multimédia) ?
- Comment passer de systèmes à navigation linéaire (ou hiérarchique) comme le vidéotex à des systèmes hypertextes comme le Web ?
- Seront-elles capables de passer d'un système limité à la France à un système international hautement concurrentiel ?
- Le comportement du client grand public français par rapport au Minitel et à ses services est-il similaire à celui du client international ?

La plus importante des questions est de savoir si ces entreprises vont saisir l'occasion qui leur est offerte de diffuser leurs compétences au niveau international.

Quelles que soient les réponses à ces questions ouvertes, il est certain que les entreprises qui opéraient dans un contexte peu concurrentiel (en tout cas limité géographiquement et techniquement) doivent réagir si elles souhaitent construire dès à présent l'expertise qui leur permettra de résister face à la concurrence internationale sur le marché des autoroutes de l'information.

V. — Numérisation de l'information

Avec Internet et l'informatisation, la numérisation de l'information prend une ampleur jamais atteinte. Or la numérisation n'est pas sans poser plusieurs problèmes.

La véracité de l'information en est un. En effet, toute information sous forme numérique (image, son, texte, etc.) peut être copiée sans aucune perte de qualité. Rien ne permet alors de distinguer la copie de l'original, ce qui pose des problèmes de protection du droit d'auteur. De plus, un document numérique peut être modifié sans que l'altération soit facilement détectable, l'authenticité d'une information peut donc être mise en cause. Les informations véhiculées par Internet n'échappent pas à ce problème, mais les technologies de cryptage et de signature électronique[1] apportent des solutions à ces problèmes.

La propagande et la désinformation sont courantes sur les *news*＊ ou sur le *Web*＊. L'abondance d'informations et la facilité avec laquelle tout un chacun peut mettre une information à disposition du monde entraînent certains abus allant de la propagation d'informations incomplètes, fausses ou reproduites illégalement (sans respect du droit d'auteur), jusqu'à la propagande ou la désinformation volontaire. Aux Etats-Unis, des associations de parents tentent d'imposer une stricte censure d'Internet mais se heurtent au libéralisme des internautes. Des règles apparaissent néanmoins d'elles-mêmes, par exemple certains sites W3 pour adultes sont aujourd'hui protégés par la demande d'un numéro de compte *First Virtual*[2] prouvant que l'utilisateur est majeur puisque titulaire d'une carte de crédit.

Il est nécessaire de rester vigilant et de préserver un esprit critique suffisant pour trier le vrai du faux. Les nouveaux internautes peuvent facilement être trompés et doivent donc redoubler de prudence, voire être protégés contre certaines informations.

On peut toutefois espérer qu'une sélection naturelle s'opérera entre les fournisseurs d'information sur le Web, et que seules subsisteront les sources fiables.

Plusieurs problèmes demeurent à ce jour non résolus, notamment le paiement des documents consultés (*pay per view*) qui reste à mettre en place, mais soulève des

---

1. Par exemple PGP＊.
2. <http://www.fv.com/>.

difficultés (qualité de l'information, limitation de la copie, etc.).

VI. — Imbroglio juridique

Internet et les informations qu'il véhicule posent de nombreux problèmes aux juristes.

1. Développer un cadre juridique adéquat. — La globalité du réseau et son aterritorialité rendent difficile l'application des lois nationales. Les *news* ou W^3 véhiculent par exemple des images pornographiques dont la diffusion est normalement interdite par la législation de nombreux pays.

Les technologies complexes utilisées ne facilitent pas les contrôles. Un serveur W^3 poursuivi pourrait être déplacé en quelques minutes en un autre point de la planète connecté au réseau, notamment dans des pays dont la loi est très laxiste.

L'exemple des casinos virtuels est révélateur puisque ces derniers sont gérés depuis des îles exotiques où la législation est quasi inexistante. Ces casinos disposent par contre d'un marché mondial, s'étendant même dans des zones où ils sont « théoriquement » interdits ou soumis à des réglementations spécifiques (autorisations, taxes, taux de redistribution, etc.).

La nouveauté et la rapidité d'évolution des techniques, outils et services compliquent singulièrement la tâche du législateur, mais il est urgent que les Etats définissent les lois et les limites du cyberespace afin d'éviter les dérapages et les abus. Le projet de l'*Internet Law Task Force* (ILTF[1]) souhaite apporter des réponses à ces problèmes juridiques.

2. Du *cyberespionnage* à la *cybercensure*. — Les partisans du contrôle total du réseau avancent systéma-

---

1. Voir page 23.

tiquement l'argument de la lutte contre le terrorisme et le crime organisé[1]. Il est probable que des malfaiteurs utilisent Internet et les autres réseaux électroniques pour échanger des informations, au même titre qu'ils utilisent le téléphone ou le fax.

Plusieurs initiatives visant à contrôler et à censurer le contenu des messages et documents échangés sur Internet ont avorté. Usenet* est régulièrement la proie des censeurs en raison de l'existence de nombreux *newsgroups** à teneur sexuelle et pornographique. Chaque tentative de censure fait face à une importante levée de boucliers, la communauté Usenet étant farouchement attachée à sa liberté (totale) d'expression. La censure parvient quand même à frapper, notamment à Singapour où le gouvernement contrôle Internet (et les autres médias d'ailleurs).

3. **Anonymat et sécurité.** — L'anonymat[2] sur Internet est rarement effectif. Des systèmes permettent d'envoyer et de recevoir des messages électroniques anonymement. Ils autorisent également parfois l'utilisation anonyme des *news** (importante pour les groupes de discussions portant sur des sujets comme le suicide, l'avortement, la drogue, le viol, etc.).

Des sites permettant l'envoi de messages anonymes (*anonymous remailer*) ont été créés, et souvent stoppés pour cause de pression ou d'abus des utilisateurs.

L'*Electronic Frontier Foundation*[3] (EFF) est une association luttant contre les tentatives de censure et de limitations des libertés d'expression et d'information. L'EFF

---

1. Des journaux espèrent notamment augmenter leurs tirages avec des articles à sensation affirmant qu'Internet n'est que le royaume du crime organisé (et du sexe).
2. Pour plus d'informations voir l'excellente FAQ* « *Anonymity on the Internet* » de L. Detweiler <http://www.csn.net/~ldetweil/>. Voir également « *Anonymous Remailer FAQ* » d'André Bacard <http://www.cs.berkeley.edu/~raph/remailer-faq.html>, ou encore la liste des *remailers* ainsi que d'autres références maintenues par Raph Levien <http://www.cs.berkeley.edu/~raph/remailer-list.html>.
3. <http://www.eff.org/>.

mène des actions contre les projets de lois américains visant à contrôler ou censurer l'Internet. Leur site W^3 présente de nombreuses informations sur les débats en cours et sur les actions passées (par exemple l'affaire du *Clipper*), présentes et futures (le procès possible contre Phil Zimmermann, auteur de PGP[*]).

VII. — Conclusion

Il n'y a que quelques pas entre Internet et les autoroutes de l'information mais les plus difficiles à effectuer ne seront probablement pas ceux d'ordre technologique mais plutôt ceux d'ordre social, politique et juridique.

CONCLUSION

S'il ne fait pas l'unanimité, Internet est un phénomène économico-social majeur en cette période de tran-
sition vers le XXIe siècle. Porteur d'espoir en matière de
partage de l'information et de la connaissance, capable
de devenir une véritable motrice de l'économie de
l'information, il véhicule aussi les aspects les moins
positifs de l'humanité (drogue, terrorisme, racisme,
pornographie, etc.).

Le réseau est encore en phase d'adolescence et maîtrise mal sa croissance rapide. De nombreux éléments
techniques restent à développer. Les limites du cyberespace doivent être définies dans une cyberlégislation
qui reste à construire. Les cyberpolices sont également
à mettre en place afin d'éviter les abus. C'est à ce prix
que pourra se réaliser le développement harmonieux du
cyberespace.

Nous pouvons espérer qu'arrivé à l'âge adulte, il permette de renforcer positivement le partage de l'information, la communication interpersonnelle et les échanges
internationaux et interculturels.

ACCEDER A INTERNET

Pour se connecter à Internet, il faut choisir un fournisseur d'accès (ISP). Les connexions en SLIP* ou PPP* procurent un accès complet au réseau (*Full IP*) et sont préférables aux connexions en émulation de terminal (qui interdisent l'usage des applications graphiques). Il est conseillé de s'adresser à un fournisseur proposant un point de connexion proche, puisque les communications téléphoniques ou les lignes louées seront beaucoup moins chères. Les tarifications « plates », c'est-à-dire indépendantes de la durée d'utilisation sont préférables. Les différentes solutions doivent être comparées en fonction de l'utilisation mensuelle escomptée. Il est important de se renseigner sur la fiabilité du service offert (nombre d'utilisateurs, nombre et débit des connexions entre le fournisseur d'accès et le réseau Internet, services de conseil et de résolution des problèmes, etc.). Des fournisseurs proposent également de louer de l'espace sur un serveur Web, permettant d'assurer la présence d'une entreprise sur Internet à moindre coût.

Le tableau qui suit présente une liste de quelques fournisseurs d'accès français[1], suisses[2] et belges. Pour une liste mondiale, voir `<http://www.isoc.org/~bgreene/nsp-index.html>` ou `<http://thelist.com/>`.

---

1. Voir `<http://www.nic.fr/Prestataires/>`.
2. Voir `<http://heiwww.unige.ch/switzerland/internet_access_providers.html>`.

FRANCE	**Calvacom** 8/10 rue Nieuport 78140 Vélizy Tel: +33 (1) 34 63 19 19 Fax: +33 (1) 34 63 19 48 E-Mail: info@calvacom.fr URL: http://www.calvacom.fr/	**Compuserve (France)** Tel: +33 (1) 36 63 81 22 URL: http://www.compuserve.com/
	Eunet France 52 avenue de la Grande Armée 75017 Paris cedex Tel: +33 (1) 53 81 60 60 Fax: +33 (1) 45 74 52 79 E-Mail: contact@fnet.fr URL: http://www.France.EU.net	**Francenet** 28, rue Desaix 75015 Paris Tel: +33 (1) 43 92 14 49 Fax: +33 (1) 43 92 14 45 E-Mail: Info@francenet.fr URL: http://www.Francenet.fr/
	IBM Global Network 4 avenue Montaigne 93881 Noisy le Grand Cedex Tel: +33 (1) 05 90 60 88 (numéro vert) Tel: +33 (1) 49 05 88 00 Fax: +33 (1) 49 04 16 49	**Internet Way** 204 boulevard Bineau 92200 Neuilly Tel: +33 (1) 41 43 21 10 Fax: +33 (1) 41 43 21 11 E-Mail: info@iway.fr URL: http://www.iway.fr/
	Oléane 35 boulevard de la Libération 94300 Vincennes Tel: +33 (1) 43 28 32 32 Fax: +33 (1) 43 28 46 21 E-Mail: info@oleane.net URL: http://www.oleane.net/	**Renater** Université Pierre et Marie Curie 4 place Jussieu 75252 Paris Cedex 05 Tel: +33 (1) 44 27 26 12 Fax: +33 (1) 44 27 26 13 E-Mail: rensvp@renater.fr URL: http://www.renater.fr/
SUISSE	**Compuserve (Suisse)** Tel: 155 31 79 (numéro vert) URL: http://www.compuserve.com/	**EUnet (Suisse Romande)** Rue Jean-Pelletier 6 CH-1225 Chêne-Bourg Tel: 022 348 80 45 E-mail: deffer@eunet.ch URL: http://www.eunet.ch/
	IBM (Suisse) Tel: 155 92 22 (numéro vert)	**Internet ProLink** ICC, C.P. 1863 CH-1215 Genève 15 Tel: +41 (22) 788 85 55 Fax: +41 (22) 788 85 60 E-Mail: help@iprolink.ch URL: http://www.iprolink.ch/
	Ping Net Sarl Av. Gratta Paille 2 CH-1000 Lausanne 30 Grey Tel: +41 (21) 641 13 39 Fax: +41 (21) 641 13 10 E-mail: admin@ping.ch URL: http://www.ping.ch/	**SWITCH** Limmatquai 138 CH-8001 Zurich Tel: +41 (1) 268 15 15 Fax: +41 (1) 268 15 68 E-mail: info@switch.ch URL: http://www.switch.ch/
BELGIQUE	**Belnet** URL: http://www.belnet.be/	**EUnet (Belgique)** Stapelhuisstraat 13 B-3000 Leuven Tel: +32 16 23 60 99 Fax: +32 16 23 20 79 E-mail: info@Belgium.EU.net URL: http://www.Belgium.EU.net/
	Infoboard Telematics E-mail: info@infoboard.be Tel: +32 2 475 22 99 Fax: +32 2 475 25 32 URL: http://www.ib.be/	**INnet** Email: info@inbe.net Tel: +32 3 2814983 Fax: +32 3 2814985 URL: http://www.innet.be/

LEXIQUE[1]

Adresse électronique : Adresse permettant d'envoyer un message électronique à un utilisateur connecté à Internet ou à un des réseaux qui lui sont rattachés par une passerelle de messagerie. Par exemple `jacques.dupont@hec.unil.ch`.

Adresse Internet (Adresse IP) : Adresse identifiant une machine sur le réseau Internet. Cette adresse est composée de quatre octets (soit 32 bits) généralement écrits sous forme décimale, ce qui donne par exemple `131.224.91.50`.

Analogique : Un signal est dit analogique s'il peut prendre n'importe quelle valeur entre deux extrêmes (valeurs continues). Par opposition, un signal digital ou numérique ne peut prendre que quelques valeurs (discrètes) définies (par exemple deux valeurs −5V et +5V pour un signal binaire).

Anonymous : Se dit des connexions réalisées avec le nom d'utilisateur *anonymous*. Par extension, désigne les serveurs de fichiers accessibles publiquement via FTP*.

ANSI (*American National Standards Institute*) : Organisme de normalisation américain membre de l'ISO*. L'ANSI est chargé de définir les normes américaines dans de nombreux domaines dont l'informatique et les télécommunications.

Archie : Les serveurs Archie recensent les fichiers des sites FTP publics.

ARP (*Address Resolution Protocol*) : Le protocole ARP établit la correspondance entre une adresse IP (niveau trois du modèle OSI*) et une adresse physique (par exemple une adresse Ethernet). ARP fonctionne sur les réseaux qui supportent la diffusion (*broadcast*). Il est défini dans la RFC-286 (STD-37).

Arpanet (*Advanced Research Project Agency Network*) : Réseau à commutation de paquet qui constitua la base du réseau Internet. Ce réseau voit le jour en 1969, sous la bannière du Département de la Défense américain (DOD). Arpanet reste une des arêtes d'Internet jusqu'en 1990, date à laquelle il est intégré au NSFNET*.

ASCII (*American Standard Code for Information Interchange*) : Système de codage des caractères alphanumériques sur 7 bits. Les alphabets européens sont représentés par des versions étendues de l'ASCII codées sur 8 bits.

ATM (*Asynchronous Transfer Mode*) : ATM est une technique de transmission basée sur la commutation de petits paquets de longueur fixe (cellules). Le routage des cellules s'effectue au niveau matériel dans les commutateurs, ce qui permet de supporter de hauts débits (155, 622 Mbit/s et plus). ATM est utilisé dans les réseaux grande distance et pour l'interconnexion de réseaux locaux. On le désigne aussi par : « *fast packet switching* », « *Broadband (B-) ISDN* » ou « *cell relay* ».

Backbone : Réseau généralement à haut débit réalisant l'interconnexion de plusieurs sous-réseaux. Les termes d'arête principale, d'épine dorsale ou de réseau fédérateur sont synonymes.

Bande passante (*Bandwidth*) : En théorie, la bande passante désigne la différence en Hertz entre la fréquence la plus haute et la fréquence la plus basse utilisable sur un support de transmission. En pratique on parle de bande passante pour désigner le débit supporté par une ligne de communication.

BBS (*Bulletin Board System*) : Les BBS offrent des services de transfert de fichiers, de messagerie électronique et de conférence. Le BBS est géré par un micro-ordinateur relié au réseau téléphonique et par un ou plusieurs modem(s).

Binaire : Langage dont l'alphabet de base est composé de deux éléments (0 et 1). Ce langage est utilisé par les ordinateurs pour représenter des données.

Bitnet (*Because it's time Network*) : Réseau académique offrant des services de messagerie et de transfert de fichiers. Bitnet fait partie de CREN* depuis 1989.

---

1. Voir [23]. Il existe des dictionnaires en ligne, par exemple le dictionnaire informatique `<http://wombat.doc.ic.ac.uk/>`, ou le dictionnaire des sigles `<http://habrok.uio.no/cgi-bin/acronyms>`. Sur papier, voir [9].

CCITT (Comité Consultatif International de Télégraphie et de Téléphonie) : Le CCITT est un des sous-comités de l'ITU (*International Telecommunication Union*), organisme de normalisation dépendant des Nations Unies et regroupant les représentants des opérateurs PTT des 160 nations membres. Le CCITT est notamment à l'origine des normes de la série X. (X.21, X.25, X.400, etc.) et V. (V.32 par exemple). Depuis mars 1993, le CCITT a été rebaptisé ITU-TS (*International Telecommunication Union - Telecommunication Sector*).

CD (*Compact Disc*) : Disque optique numérique permettant l'enregistrement de son (CD-Audio), de données (CD-ROM) ou de vidéo (CD-Vidéo).

CERT (*Computer Emergency Response Team*) : Voir page 102.

CFV (*Call For Vote*) Appel au vote : La création d'un nouveau *newsgroup* exige qu'il soit approuvé par la communauté Usenet et qu'il passe l'épreuve du vote qui doit donner au moins 100 OUI et en tout cas deux tiers de OUI.

CIX (*Commercial Internet Exchange*) : Association créée en 1991 par CERFnet, PSInet et UUnet en réponse aux restrictions posées par le NSFnet en matière de trafic commercial. Voir <http://www.cix.org>.

Client : Dans l'architecture client/serveur, la machine qui utilise un service est nommée cliente. On emploie également ce terme pour désigner le logiciel permettant d'utiliser un service rendu par un serveur (*client FTP**).

Clipper : Nom d'une puce de cryptage que le gouvernement américain souhaitait imposer pour tous les appareils de communication numériques. Cette puce aurait permis d'encrypter les transmissions tout en assurant aux services secrets américains l'accès aux communications. Cette initiative fut vigoureusement combattue. Voir l'EFF, <http://www.eff.org/>.

Commutateur (*Switch*) : Equipement capable d'effectuer de la commutation.

Commutation de cellule (*cell switching*) : Technique de transmission dans laquelle on divise le message à transmettre en petits fragments de longueur fixe (cellules). Les cellules sont envoyées sur le réseau et sont réassemblées à la réception. Cette technologie sous-tend les réseaux ATM*.

Commutation de circuit (*cicuit switching*) : La commutation de circuit permet d'établir un circuit entre deux équipements. Elle est utilisée sur le réseau téléphonique *commuté* pour mettre en relation deux correspondants.

Commutation Ethernet (*Ethernet switching*) : Technique permettant d'aiguiller des trames Ethernet à l'intérieur des concentrateurs Ethernet (*switched hub*). Elle apporte une meilleure gestion de la bande passante du réseau.

Commutation de paquet (*packet switching*) : Technique de transmission dans laquelle on divise le message à transmettre en paquets. Les paquets sont envoyés et réassemblés à la réception. Cette technologie, qui sous-tend les réseaux X.25*, optimise l'utilisation de la bande passante du réseau par un partage des ressources disponibles.

Commutation de message (*message switching*) : Les messageries électroniques sont basées sur un système permettant l'acheminement des messages entre un point de départ et un point d'arrivée. En cours de route le message passe par plusieurs ordinateurs qui le stockent temporairement, puis le font suivre en fonction de l'adresse du destinataire (« *store and forward* »).

CompuServe : CompuServe est un réseau informatique mondial revendiquant environ trois millions d'utilisateurs. L'accès au réseau se fait via modem en se connectant sur un des points d'accès de CompuServe. Les services offerts sont la messagerie électronique (avec passerelle vers Internet), le transfert de fichiers et les forums de discussions électroniques et l'accès Internet (Web). Pour plus d'informations consulter <http://www.compuserve.com>.

CREN (*Corporation for Research and Educational Networking*) : Réseau créé en 1989 pas la fusion de Bitnet* et de CSnet. Voir <http://www.cren.net/>.

Cyberspace : Terme de William Gibson, romancier. Un des nombreux termes désignant les mondes virtuels constitués par les réseaux informatiques mondiaux.

Dante (*Delivery of Advanced Network Technology to Europe Ltd.*) : Dante a été créée en 1993 par des fournisseurs de services Internet universitaires européens pour gérer le réseau Europanet. Voir (<http://www.dante.net>.

Datagramme : Terme désignant un bloc ou paquet d'informations dans un réseau fonctionnant en mode paquet. Le datagramme possède un en-tête dans lequel figurent l'adresse de la machine destinataire et un numéro d'ordre utilisé pour reconstituer le message.

DES (*Data Encryption Standards*) : Algorithme de cryptage développé par IBM dans les années 70. Le DES est utilisé par l'administration américaine. Il est basé sur un système de cryptage symétrique à clé privée d'une longueur de 56 bits.

Dial-up : Technique permettant de se connecter à Internet en utilisant un modem et le réseau téléphonique commuté.

DNS (*Domain Name Server*) : Protocole Internet assurant la conversion entre les noms IP (par exemple cosun200.unil.ch) et les numéros IP (par exemple 130.224.33.9) des machines reliées à Internet. Ce système est basé sur l'organisation arborescente du système de nommage de machines utilisé sur Internet.

EARN (*European Academic and Research Network*) : Voir Terena.

Ebone : Un des grands réseaux IP européens. Voir <http://www.ebone.net>.

ECash : Système de monnaie électronique sécurisée autorisant les transactions commerciales sur Internet. Voir <http://www.digicash.nl>.

EDI (*Electronic Data Interchange*) : L'échange de données informatisées est un mécanisme d'échange électronique d'informations (commandes, ordres, etc.) entre agents économiques (entreprises, banques, etc.). L'EDI se veut intersectoriel et international. Il est basé sur la norme internationale UN/EDIFACT.

***E-mail* (*Electronic mail*)** : La messagerie électronique est une application courante sur les réseaux locaux et grande distance (notamment Internet). Elle permet un échange asynchrone de messages texte pouvant être accompagnés d'éléments multimédias (sons, images, vidéo ou autres documents informatiques).

Emulation de terminal : L'émulation de terminal est une technique qui consiste à se connecter depuis un machine sur une autre en lui faisant croire que l'on travaille sur un simple terminal qui lui serait localement rattaché. Sur Internet, le protocole Telnet spécifie l'émulation de terminal.

Ethernet : Protocole de communication développé à l'origine par Xerox. Ethernet fait l'objet de plusieurs normes IEEE*, notamment la norme IEEE 802.3. Ce protocole et ses variantes sont utilisés dans la plupart des réseaux locaux.

Europanet : Réseau européen géré par Dante*. Voir <http://www.dante.net>.

EUnet (*European UNIX Network*) : Un des principaux fournisseurs d'accès Internet commercial en Europe. Fondé en 1982. Voir <http://www.eu.net/>.

FAQ (*Frequently Asked Questions*) : Document regroupant les réponses aux questions posées fréquemment, notamment sur les groupes de discussion de Usenet.

FDDI (*Fiber Distributed Data Interface*) : Norme développée par l'ANSI* précisant les caractéristiques d'un réseau à 100 Mbit/s sur fibre optique. FDDI est basé sur une topologie en double anneau et utilise une méthode d'accès de type jeton. FDDI est surtout mis en œuvre pour les arêtes principales (*backbones*) des réseaux locaux. CDDI est une version de FDDI fonctionnant sur paire de cuivre (*Copper*).

FidoNet : Réseau de BBS* créé en 1984 par Tom Jennings regroupant environ 20 000 serveurs dans le monde qui utilisent le logiciel FidoBBS.

Finger : Protocole d'application qui permet d'obtenir à distance des informations sur un utilisateur déclaré sur une machine (RFC-1196).

***Firewall* (mur anti-feu, écluse)** : Machine placée entre le réseau Internet mondial et un réseau IP privé afin de renforcer la sécurité de ce dernier. Certains *firewalls* effectuent du filtrage sélectif de paquets IP (adresse, protocole, etc.), d'autres vont jusqu'à exécuter les applications à la place des stations du réseau.

FIRST (*Forum of Incident Response and Security Teams*) : Voir page 102.

Flame : Message critique voire injurieux envoyé à un internaute ou posté publiquement sur un *newsgroup*. Ces messages sont souvent la conséquence de provocation, d'erreur ou de tout comportement violant la netiquette d'un *newsgroup*. Le *flame* peut dégénérer en guerre d'insultes (*flame war*). Voir `<news:alt.flame>`.

Freeware : Logiciel gratuit.

FTP (*File Tranfer Protocol*) : Protocole de transfert de fichiers utilisé sur Internet. Il définit les règles de transfert des fichiers entre deux machines (RFC-959, STD-9).

FTPD (*File Transfer Protocol Daemon*) : Programme serveur FTP. Lorsqu'un tel logiciel fonctionne sur une machine connectée à Internet, il est possible de s'y connecter à l'aide d'un client FTP afin d'effectuer un transfert de fichiers.

FYI (*For Your Information*) : Document Informatif. Il existe environ 25 FYI sur Internet. Voir `<ftp://ftp.ripe.net/rfc/fyi-index.txt>`.

Gateway (passerelle) : Equipement capable d'effectuer une conversion de protocole de communication de niveau OSI* supérieur à la couche 3. On parle par exemple de passerelle de transport (couche 4) ou de passerelle applicative (couche 7).

GIX (*Global Internet eXchange*) : Plate-forme d'échange de trafic Internet entre fournisseurs d'accès au niveau international.

Gopher : Système d'information distribué fonctionnant en mode client-serveur. L'accès à l'information est structuré selon un réseau de menus multiniveaux.

Groupware (Collecticiel, Synergiciel) : Catégorie de logiciels destinés à supporter le travail de groupe. Par exemple Lotus *Notes*, `<http://www.lotus.com/>`.

Hacker (pirate) : Désigne une personne qui s'introduit illégalement dans un système informatique, dans un but ludique ou malveillant.

Host (ordinateur hôte) : Désigne une machine (dans la terminologie Internet).

Hostname (nom logique ou symbolique) : Nom identifiant une machine sur Internet. Les serveurs de noms (DNS*) convertissent les hostnames en adresses IP.

HPCC (*High Performance Computing and Communications*) : Réseau haut-débit, partie intégrante du NII* américain. Voir `<http://www.hpcc.gov/>`.

HTML (*HyperText Mark-up Language*) : Langage de marquage utilisé pour spécifier la mise en forme des documents dans le *World-Wide Web**. HTML est interprété par les logiciels clients WWW comme Mosaic ou Netscape.

HTTP (*HyperText Transfer Protocol*) : Protocole de communication utilisé pour les échanges de données entre les clients et les serveurs WWW*.

HTTPD (*HyperText Transfer Protocol Daemon*) : Logiciel serveur WWW* capable de recevoir les requêtes des clients WWW formulées selon le protocole HTTP.

Hypertexte, Hyperdocument : Texte comportant des mots renvoyant à d'autres textes ou partie du texte. Par extension, un système hypertexte est un logiciel capable d'afficher un tel document et de supporter le parcours non linéaire (par exemple le système d'aide de Windows).

Hypermédia : Hyperdocument comportant des éléments multimédias (image fixe, son, vidéo).

IAB (*Internet Architecture Board*) : Organe central de l'ISOC* dirigeant les évolutions de l'Internet via l'IANA*, l'IETF* et l'IRTF*.

IANA (*Internet Assigned Numbers Authority*) : Organe de l'ISOC* responsable de la gestion des numéros sur Internet, et notamment des adresses IP.

IEEE (*Institute of Electrical and Electronics Engineers*) : Association professionnelle des ingénieurs électriciens et électroniciens américains. L'IEEE effectue des travaux de normalisation. Voir `<http://www.ieee.org/>`.

IESG (*Internet Engineering Steering Group*) : Direction de l'IETF*.

IETF (*Internet Engineering Task Force*) : Organe de l'ISOC* (dépendant de l'IAB) qui fédère les groupes de recherche et développement travaillant sur les technologies et les protocoles Internet.

Internaute : Utilisateur de ressources Internet.

INWG (*Internetworking Working Group*) : Organisme créé en 1972 par Vinton Cerf pour répondre au besoin de définir des protocoles de communication pour Internet au niveau international.

IP (*Internet Protocol*) : Protocole de communication routable de niveau 3 OSI* utilisé sur le réseau Internet. Il offre des services d'acheminement de données en mode paquet non connecté (RFC-791, STD-5).

IPng (*Internet Protocol next generation*) : Future version 6 du protocole IP destinée à remplacer le protocole IPv4 actuel (RFC-1752, 1753, 1726 et 1883 à 1887).

IR (*Internet Registry*) : Organisme chargé de la gestion de l'attribution des adresses Internet. L'IANA* délègue la gestion des IR. RIPE* rend ce service pour l'Europe. La région Asie-Pacifique est gérée par l'APNIC (*Asia Pacific NIC*, <http://www.apnic.net/>). Les Etats-Unis et le reste du monde sont sous la responsabilité de l'Internic (<http://www.internic.net/>).

IRC (*Internet Relay Chat*) : Système autorisant la discussion (texte) en temps réel.

IRSG (*Internet Research Steering Group*) : Direction de l'IRTF*.

IRTF (*Internet Research Task Force*) : Organe de recherche l'ISOC (dépendant de l'IAB) et responsable des évolutions à long terme de l'Internet.

ISDN (*Integrated Services Digital Network*) : Voir RNIS.

ISO (*International Organization for Standardization*) : Organisme international chargé d'établir des normes (internationales) dans de nombreux domaines principalement techniques et notamment en informatique et télécommunication.

ISOC (*Internet Society*) : Organisme chargé de promouvoir le développement du réseau Internet. L'ISOC gère également l'évolution des protocoles Internet par l'intermédiaire de l'IAB, de l'IETF et de l'IRTF. Voir <http://www.isoc.org>.

ISP (*Internet Service Provider*) Fournisseur d'accès Internet : Entreprise qui loue des connexions Internet. Les ISP sont connectés aux grands *backbones* nationaux, continentaux et internationaux. Ils offrent également des services à valeur ajoutée, du conseil, de la formation ou du support technique.

ITU (*International Telecommunication Union*) : Organisme de normalisation international dont les membres sont les opérateurs PTT des pays siégeant à l'ONU.

LAN (*Local Area Network*) Réseau local : Réseau interconnectant des équipements informatiques dans un rayon inférieur au kilomètre.

Matrix (The) : Titre d'un livre de Quartermann [34] et nom qu'il donne au réseau des réseaux entre lesquels l'échange de messages électroniques est possible.

Milnet : Réseau IP de la Défense américaine créé en 1983.

MIME (*Multipurpose Internet Mail Extensions*) : Protocole spécifiant le format des messages Internet comportant des éléments multimédias [24].

Minitel : Marque du terminal d'accès au réseau vidéotex français (Télétel) géré par France Télécom.

Modem (Modulateur-Démodulateur) : Equipement capable de convertir un signal numérique en signal analogique à modulation de fréquence (*et vice versa*) utilisé pour permettre aux ordinateurs de communiquer par l'intermédiaire du réseau téléphonique.

Modérateur : Personne filtrant les articles postés sur un *newsgroup* modéré.

Mosaic : Nom d'un célèbre logiciel client Web développé au NCSA et qui fut sans aucun doute à l'origine du succès de WWW.

MUD (*Multi-User Dungeon*) : Jeu de rôle de type « Donjon & Dragon » réalisé sur Internet (le plus souvent en émulation de terminal).

NCSA : *National Center for Supercomputing Applications* de l'Université d'Illinois à Urbana-Champaign.

Netiquette : Ensemble des règles comportementales à observer sur Internet, sur Usenet ou sur un *newsgroup* particulier.

Netscape : Logiciel client WWW commercialisé par Netscape Communications. Il existe en versions Unix, Mac et Windows.

News : Système de discussion asynchrone distribué permettant d'échanger des informations dans des *newsgroups* thématiques (il en existe environ 6 000).

Newsgroup : Désigne un des groupes de discussion thématique sur Usenet. Les *newsgroups* sont organisés suivant une structure thématique hiérarchisée.

NFS (*Network File System*) : Système de partage de fichiers développé par Sun Microsystems qui décida d'en mettre les spécifications à disposition de la communauté Internet afin d'en assurer une large distribution (RFC-1094).

NIC (*Network Information Center*) : Centre d'information sur le réseau. Les NIC gèrent une partie des adresses et des noms IP.

NII (*National Information Infrastructure*) : Projet de création d'un vaste réseau très haut débit aux Etats-Unis pour la recherche, l'éducation et l'économie (projet des « autoroutes de l'information »).

NNTP (*Net News Transfer Protocol*) : Protocole utilisé pour diffuser les articles sur Usenet (RFC-977).

NREN (*National Research and Education Network*) : Projet lancé en 1991 par le Sénateur Al Gore visant à créer un réseau national très haut débit. Le NREN est un des composants de l'infrastructure nationale d'échange d'information (NII).

NSFnet (*National Science Foundation Network*) : *Backbone* du réseau Internet aux Etats-Unis entre 1986 et 1995. Aujourd'hui, ce réseau a été remplacé par une interconnexion de grands réseaux IP américains.

Numérique (*Digital*) : Se dit d'un signal qui ne peut prendre qu'un nombre fini de valeurs discrètes (par exemple –5V, 0V et +5V pour un signal tertiaire).

OCR (*Optical Character Recognition*, reconnaissance optique de caractères) : Technologie employée pour reconstituer un texte d'après son image numérisée.

OSI (*Open System Interconnection*) : Cadre architectural et conceptuel à 7 couches défini par l'ISO pour répondre au problème de la normalisation de l'interconnexion des systèmes informatiques (normes ISO-7498, ITU X.200).

Paquet : Ensemble de données.

Passerelle : Voir *Gateway*.

PEM (*Privacy-Enhanced Mail*) : Protocole spécifiant l'utilisation du cryptage pour sécuriser la messagerie sur Internet (RFC-1421 à 1424)

PGP (*Pretty Good Privacy*) : Logiciel de cryptage asymétrique à clé publique capable d'assurer confidentialité et authenticité aux communications électroniques.

Pont (*bridge*) : Equipement effectuant une conversion de protocoles de niveau liaison (couche 2), par exemple pour connecter des réseaux Ethernet et Token Ring.

PoP (*Point of Presence*) : Point de connexion au réseau offert par un fournisseur d'accès Internet.

POP (*Post Office Protocol*) : Protocole de messagerie permettant à un micro-ordinateur de consulter et envoyer des messages électroniques sans être connecté en émulation de terminal au serveur de messagerie (RFC-1725).

Protocole : Convention précisant des règles et des spécifications techniques à respecter dans le domaine des télécommunications afin d'assurer l'interopérabilité des systèmes. De nombreux protocoles sont normalisés, ce qui leur assure une reconnaissance nationale ou internationale (normes ISO ou l'ITU par exemple).

PPP (*Point-to-Point Protocol*) : Standard Internet définissant une technique d'échange de paquets IP sur ligne téléphonique (RFC-1661-1662, STD-51).

RFC (*Request For Comments*) : Document public informatif ou descriptif d'un (futur) protocole Internet. L'IESG* supervise l'édition des RFC. Tous les standards Internet sont décrits dans des RFC (mais toutes les RFC ne contiennent pas de standards Internet). Voir <http://ds.internic.net/ds/dspg0intdoc.html>.

RFD (*Request For Discussion*) : Document préparant la création d'un futur *newsgroup* en précisant les intentions et motivations de l'initiateur et le contenu espéré des discussions qui y seront menées. Le RFD est suivi de l'appel au vote (CFV*).

RARE (Réseaux Associés pour la Recherche Européenne) : Voir Terena.

RENATER (Réseau National de télécommunications pour la Technologie, l'Enseignement et la Recherche) : Réseau IP, rattaché à Ebone, reliant les universités et les centres de recherches en France. Voir <http://www.renater.fr/>.

RIPE (Réseaux IP Européens) : Association de fournisseurs de réseaux IP européens créée en 1989. Voir <http://www.ripe.net/>.

RNIS (Réseau Numérique à Intégration de Services) : Réseau numérique fonctionnant sur du câble téléphonique et offrant des services de téléphonie, de télécopie et de transfert de données. Le réseau RNIS de français se nomme Numéris.

root **(racine)** : Administrateur d'une machine Unix.

Routage (*routing*) : Action effectuée par un équipement appelé routeur*, consistant à aiguiller des paquets dans un réseau.

Routeur (*router*) : Equipement capable d'effectuer du routage, c'est-à-dire d'aiguiller des paquets de niveau 3 OSI. Certains routeurs offrent d'autres fonctionnalités comme le pontage (pont-routeur ou *b-router*).

RPC (*Remote Procedure Call*) : Système permettant l'invocation de procédures à distance, développé par *Sun Microsystems* qui a mis les spécifications de ce protocole à disposition de la communauté Internet (RFC 1057, [41]).

RSA : Système de cryptage asymétrique mis au point par Rivest, Shamir et Adleman, en 1977 au MIT. Voir *RSA Data Security Inc.*, <http://www.rsa.com/>.

Script : Désigne les fichiers de commandes sous Unix.

Serveur : Se dit d'une machine ou d'une application capable de rendre un service à des clients.

Serveur de noms : Voir DNS*.

Service provider : Voir ISP*.

Shareware : Logiciel que l'on peut tester gratuitement (pendant une certaine durée) et que l'on doit ensuite acheter pour une somme généralement modique. De nombreux logiciels *shareware* sont disponibles sur Internet. Malheureusement trop d'internautes les utilisent illégalement sans en payer le prix.

Signature : Désigne les quelques lignes de texte que l'on ajoute généralement à tout message électronique que l'on envoie.

SLIP (*Serial Line Internet Protocol*) : Protocole standard permettant de véhiculer des paquets IP sur une liaison série (via un modem) (RFC-1055, STD-47).

Smiley : Voir page 50.

SMTP (*Simple Mail Transfer Protocol*) : Protocole de messagerie utilisé sur Internet spécifiant l'échange des messages électroniques (RFC-821).

SNMP (*Simple Network Management Protocol*) : Protocole de gestion de réseau utilisé sur Internet (RFC-1441 à 1452).

SnailMail **(courrier escargot)** : Terme dont est affublé le courrier postal à cause de sa lenteur par rapport au courrier électronique.

SSII : Société de Service en Ingénierie Informatique.

Surfer : Action proche du *zapping* qui consiste à se promener sur Internet de site en site en utilisant des outils de navigation cyberspatiale (Gopher* ou WWW*).

Switch : Voir commutateur.

Système distribué : Système informatique dont les composantes sont réparties entre plusieurs machines reliées en réseau.

SWITCH (*Swiss Academic and Research Network*) : Fournisseur d'accès Internet pour les universités et les centres de recherche suisses créé en 1987.

TERENA (*Trans-European Research and Education Networking Association*) : Organisme créé en 1994 (fusion de RARE et EARN), dont le but est de développer un réseau pour la recherche et l'enseignement en Europe. Voir <http://www.terena.org/>.

TCP (*Transmission Control Protocol*) : Protocole de niveau Transport (couche 4 OSI) utilisé par la plupart des applications Internet. (RFC-793).

TCP/IP (*Transmission Control Protocol over Internet Protocol*) : Désigne la famille des protocoles utilisés Internet.

Telnet : Protocole d'application définissant l'émulation de terminal sur Internet (RFC-854).

Transparence : Qualité d'un service dont la mise en œuvre passe inaperçue.

UDP (*User Datagram Protocol*) : Protocole de niveau 4 OSI destiné à remplacer le protocole TCP pour les applications qui n'ont pas besoin des services de TCP.

UIT (Union Internationale des Télécommunications) : Voir ITU et CCITT.

Unix : Marque d'un système d'exploitation multitâche et multi-utilisateur très répandu dans le domaine scientifique.

URL (*Uniform Resource Locator*) : Syntaxe utilisée par WWW pour spécifier la localisation physique d'un fichier ou d'une ressource sur Internet (RFC-1738).

URN (*Uniform Resource Name*) : Projet de syntaxe qui devrait permettre d'identifier une ressource par un nom qui sera plus stable dans le temps qu'une localisation physique (RFC-1737).

***Usenet* (*Unix User Network*) :** Réseau offrant un service de discussion asynchrone mondial appelé Usenet *news*.

Userid : Identification d'utilisateur.

UUCP (*Unix-to-Unix Copy*) : Programme permettant d'échanger des fichiers entre une machine Unix et une autre.

UUnet : Entreprise fondée en 1987, offrant un service d'accès commercial à Internet. Voir `<http://www.uu.net/>`.

Veronica : Système autorisant la recherche d'informations dans le *Gopherspace*, c'est-à-dire située sur un serveur Gopher.

Vidéotex : Système permettant de diffuser des informations textuelles utilisant le réseau téléphonique (Télétel en France). L'utilisateur vidéotex se connecte au réseau en utilisant un terminal spécifique (le Minitel en France) ou un micro-ordinateur équipé d'un modem et d'un logiciel d'émulation de terminal.

***Viewer* (visualiseur) :** Logiciel capable d'afficher un format de fichier particulier (image, son, vidéo, etc.).

Virus : Logiciel informatique capable de se dupliquer (et de s'automodifier pour les virus mutants). La plupart causent des dégâts aux systèmes infectés (pertes de données, etc.). Il est possible de protéger un ordinateur contre les virus en utilisant un logiciel anti-virus. Voir McAfee, `<http://www.mcafee.com>`.

VOD (*Video on Demand*) Vidéo à la demande : Un des services que fourniront les autoroutes de l'information. Cette technologie permettra de visionner un film à domicile avec un confort équivalent à celui qu'offre le magnétoscope.

WAIS (*Wide Area Information Servers*) : Système distribué permettant de classer des documents dans des bases de données interrogeables par mots clés. WAIS appartient aujourd'hui à *America Online*. Voir `<http://wais.com/>`.

WAN (*Wide Area Network*) Réseau grande distance : Réseau dont l'étendue est supérieure à dix kilomètres. Internet est un réseau grande distance.

***Web* (toile d'araignée) :** Un des termes utilisés pour désigner le *World-Wide Web*.

Webmaster : Se dit du responsable d'un serveur WWW.

Windows sockets : Interface applicative (API *Application Programming Interface*) spécifiée par Microsoft et de nombreux partenaires pour simplifier et standardiser l'accès aux services réseaux TCP/IP des applications Internet sous Windows.

WWW (*World-Wide Web*) : Système hypermédia distribué développé par Tim Berners-Lee et son équipe au CERN. WWW est basé sur une architecture client-serveur et permet de mettre à disposition des documents hypertextes. La convivialité des logiciels client WWW comme Mosaic a propulsé le Web comme outil universel d'accès aux ressources Internet. Voir `<http://www.w3.org/>`.

X.25 : Protocole de communication à commutation de paquets en mode connecté normalisé par l'ITU. Le réseau Transpac est un réseau X.25.

X.400 : Protocole de messagerie électronique normalisé par l'ITU. Pour plus d'information, consulter la FAQ de `<news:comp.protocols.iso.x400>`.

X.500 : Protocole d'annuaire électronique distribué normalisé par l'ITU.

X.509 : Protocole d'authentification basé sur un annuaire X.500.

BIBLIOGRAPHIE

[1] Balenson D., *Privacy Enhancement for Internet Electronic Mail, Part III: Algorithms, Modes, and Identifiers*, RFC-1423, 1993.

[2] Baume R. (de La), Bertolus J.-J. : *Les nouveaux maîtres du monde*, Paris, Belfond, 1995.

[3] Berners-Lee T., Masinter L., McCahill M.: *Uniform Resource Locators*, RFC-1738.

[4] Borenstein N., Freed N. : *MIME (Multipurpose Internet Mail Extensions)*, Part One, RFC-1521, 1993.

[5] Bradner S., Mankin A. : *The Recommendation for the IP Next Generation Protocol*, RFC 1752, 1995.

[6] Cheswick W. R., Bellovin S. M. : *Firewalls and Internet Security, Repelling the Wily Hacker*, Addison-Wesley, 1994.

[7] Cooper A., Postel Jonathan B. : *The US Domain*, RFC-1480, 1993.

[8] Crocker D. H. : *Standard for the format of Arpa Internet Text Messages*, RFC-822, STD-11, 1982.

[9] Feibel W. : *Novell's Complete Encyclopedia of Networking*, Sybex, Novell Press, 1995.

[10] Ghernaouti-Hélie S., Dufour A. : *Réseaux locaux et téléphonie. Technologies-Maîtrise-Intégration*, Masson, 1995.

[11] Hardy H. E. : *The History of the Net*, Master's Thesis, disponible sur `<ftp://umcc.umich.edu/pub/users/seraphim/doc/nethist8.txt>`.

[12] Hedrick C. L. : *The Internet Protocol, Computer Science Facilities Group, RUTGERS, The State University of New Jersey*.

[13] Hobbes (Zakon) R. : *Hobbes' Internet Timeline v2.1*, disponible sur `<http://info.isoc.org/guest/zakon/Internet/History/HIT.html>`.

[14] Huitema C. : *Et Dieu créa l'Internet*, Eyrolles, mai 1995.

[15] Huitema C., Gross P. : *The Internet Standards Process*, RFC-1602, 1994.

[16] Kaliski B. : *Privacy Enhancement for Internet Electronic Mail, Part IV: Key Certification and Related Services*, RFC-1424, 1993.

[17] Kantor B., Lapsley P. : *Network News Transfer Protocol : A Proposed Standard for the Stream-Based Transmission of News*, RFC-977, 1986.

[18] Kent S. : *Privacy Enhancement for Internet Electronic Mail, Part II: Certificate-Based Key Management*, RFC-1422, 1993.

[19] Landweber L. : *International connectivity*, `<ftp://ftp.cs.wisc.edu/connectivity_table/>`.

[20] LaQuey T. L. : *The Internet Companion : A beginner's guide to global networking*, 2nd ed., Addison-Wesley, 1994, ISBN : 0-201-40766-3.

[21] Linn J. : *Privacy Enhancement for Internet Electronic Mail, Part I: Message Encryption and Authentication Procedures*, RFC-1421, 1993.

[22] McLaughlin III, Leo J. : *LPDP Line Printer Daemon Protocol*, RFC-1179.

[23] Malkin G., LaQuey T. : *Internet Users' Glossary*, Internet RFC-1392, FYI-18, 1993.

[24] Moore K. : *MIME (Multipurpose Internet Mail Extensions)*, Part Two, RFC-1522, 1993.

[25] Nowicki B. : *NFS: Network File System Protocol Specification*, RFC-1094, Sun Microsystems, Inc., 1989.

[26] Postel J. B. : *Internet Protocol* (IP), RFC-791, STD-5, 1981.

[27] Postel J. B. : *Transmission Control Protocol* (TCP), RFC-793, STD-7, 1981.

[28] Postel J. B. : *Simple Mail Transfer Protocol* (SMTP), RFC-821, STD-10.

[29] Postel J. B., Reynolds J. : *Telnet Protocol Specification*, RFC-854, 1983.

[30] Postel J. B., Reynolds J. : *Telnet Option Specifications*, RFC-855, 1983.

[31] Postel J. B., Reynolds J. : *File Transfer Protocol (FTP)*, RFC-959, STD-9, 1985.

[32] Postel J. B. : *Domain Name System Structure and Delegation*, RFC-1591, 1994.

[33] Postel J. B., *Editor* : *Internet official protocol standards*, RFC-1880, STD-1, *Internet Architecture Board*, 1995.

[34] Quarterman J. S. : *The Matrix, Computer Networks and Conferencing Systems Worldwide*, Digital Press, 1990.

[35] Quarterman J. S., Carl-Mitchell S. : *The E-Mail companion* , Addison-Wesley, 1994.

[36] Rutkowski T. : *The Internet Society, An Overview*, présentation disponible sur <ftp://ftp.isoc.org//isoc/charts/isoc4.ppt>.

[37] Salzenberg C., Spafford G. : *What is Usenet?*, posté régulièrement sur <news:news.answers>.

[38] Sanderson David W. (ed.) : *Smileys*, O'Reilly & Associates.

[39] Sollins K., Masinter L. : *Functional Requirements for Uniform Resource Names*, RFC-1737, 1994.

[40] Spafford G. : *Usenet software : History and Sources*, FAQ postée périodiquement sur <news:news.answers>.

[41] Sun Microsystems Inc. : *RPC: Remote Procedure Call Protocol Specification Version 2*, RFC-1057, 1988.

[42] Sun Microsystems Inc. : *NFS: Network File System Protocol Specification*, RFC-1094, 1989.

[43] Tanenbaum A. : *Réseaux, architecture, protocoles, applications*, InterEditions, 1991.

[44] Templeton B. : *Emily Postnews answers your questions on Netiquette*, posté régulièrement sur <news:news.answers>. Traduit en français par C. Paulus, <http://www.fdn.fr/fdn/doc-misc/Emily-Postnews.html>.

[45] Vielmetti E. : *What is Usenet? A second opinion*, posté régulièrement sur <news:news.answers>.

[46] Von Rospach C., Spafford G. : *A Primer on how to work with the Usenet Community*, posté régulièrement sur <news:news.answers>.

Pour en savoir plus :

Lire les FYI* (<http://www.internic.net/ds/dspg0intdoc.html>), se procurer les FAQ* de Usenet en suivant le *newsgroup* <news:news.answers>, suivre les *newsgroups* diffusant des annonces (*.announce), toujours passer par un des systèmes de recherche pour trouver une information (par exemple Yahoo sur WWW, Veronica sur Gopher ou Archie sur FTP), consulter des revues spécialisées (*Wired* <http://www.wired.com/>, *Internet World* <http://www.mecklerweb.com:80/mags/iw/iwhome.htm>, etc.).

INDEX

TABLE DES MATIÈRES

Imprimé en France
Imprimerie des Presses Universitaires de France
73, avenue Ronsard, 41100 Vendôme
Février 1996 — N° 42 546